介護福祉士
歯科医師
ケアマネジャー
消防署
JN143262
訪問診療
救急救命士
看護師
医師
薬剤師
理学療法士など
歯科
保健所
保健師
歯科衛生士
歯科医師
獣医師
臨床検査技師
医師
歯科衛生士
歯科医師
看護師
管理栄養士
介護施設
理学療法士など
社会福祉士
介護福祉士

医療・福祉の仕事見る知るシリーズ

視能訓練士の一日

保育社
HOIKUSHA

はじめに

視能訓練士の仕事って、どんなもの？

眼科の検査や訓練治療で活躍する目のスペシャリスト！

「視能訓練士」という名前を知っている人は少ないかもしれませんが、視能訓練士は意外に身近な職業です。眼科を受診したときに、医師の診察を受ける前に視力検査をしたり、暗い部屋で機械を使った検査をしたり、眼鏡やコンタクトレンズの度数を合わせたりしてくれるのが、視能訓練士です。

目の機能に関する検査を「視機能検査」といいます。私たちがよく知っている視力検査もその一つです。ほかにもさまざまな種類の検査があり、それによって得られた正確な情報をもとに、医師は診断や治療を行っていきます。診察に必要なデータを、正確に、安全に、すばやく医師に提供するのは、視能訓練士のだいじな仕事です。

また、視能訓練士は、「視能矯正」といって、見る機能に異常のある患者さんに機能回復のための訓練、指導をしたり、必要な検査を行ったりもします。

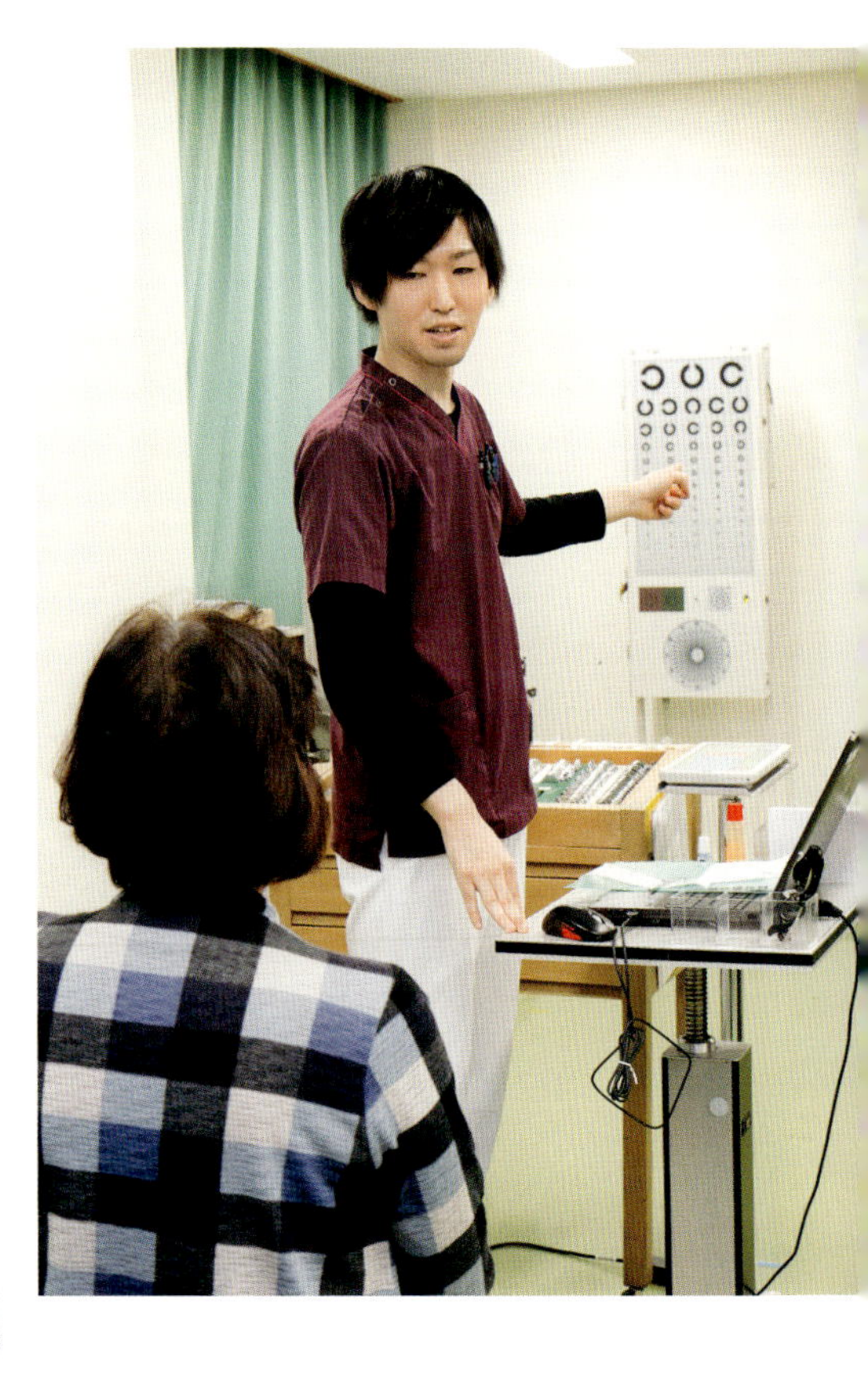

視能訓練士の数は不足。需要はさらに高まっています

私たちが外界からとり入れる情報の約80％をになっているのは視覚です。視覚に障がいが出ると、日常生活がひどく不便になってしまいます。病院での眼科医療の目的は、目の病気を治療するとともに、目に病気や障がいをもつ患者さんの見えにくさを改善し、生活の質を向上させることです。そのための訓練やリハビリテーションにたずさわるのも、視能訓練士の大切な役目です。

視能訓練士法が制定された1971年には、わずか121人だった視能訓練士は、現在約1万4500人にまで増えましたが、まだまだ十分な数とはいえません。医療技術の進歩とともに続々と登場する新しい検査機器、新しい技術にしっかりと対応できる多くの人材が求められています。

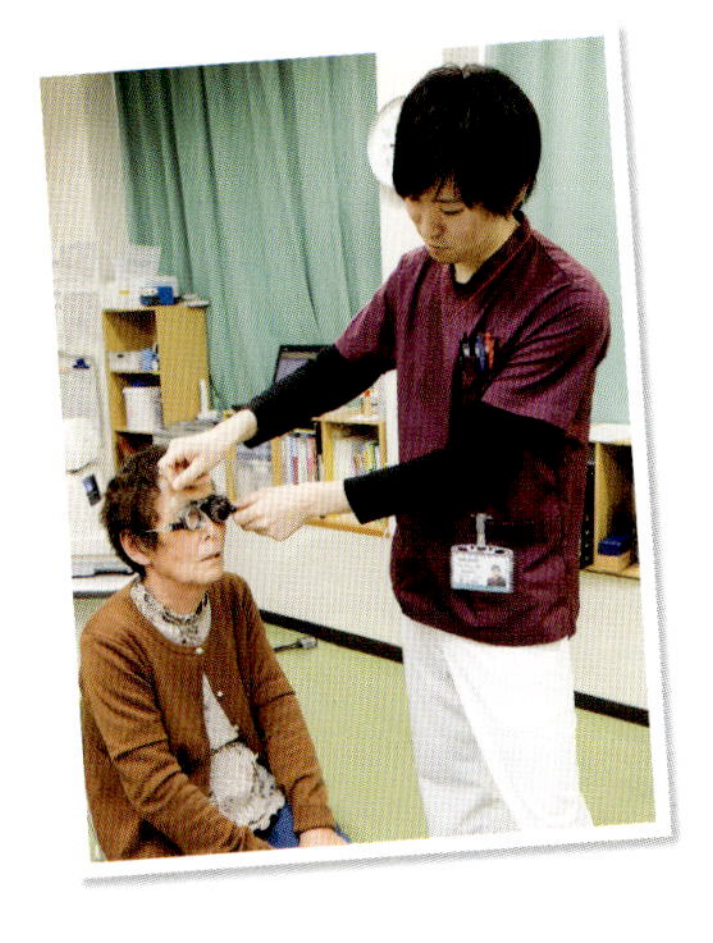

目次

Part 1 視能訓練士の一日を見て！ 知ろう！

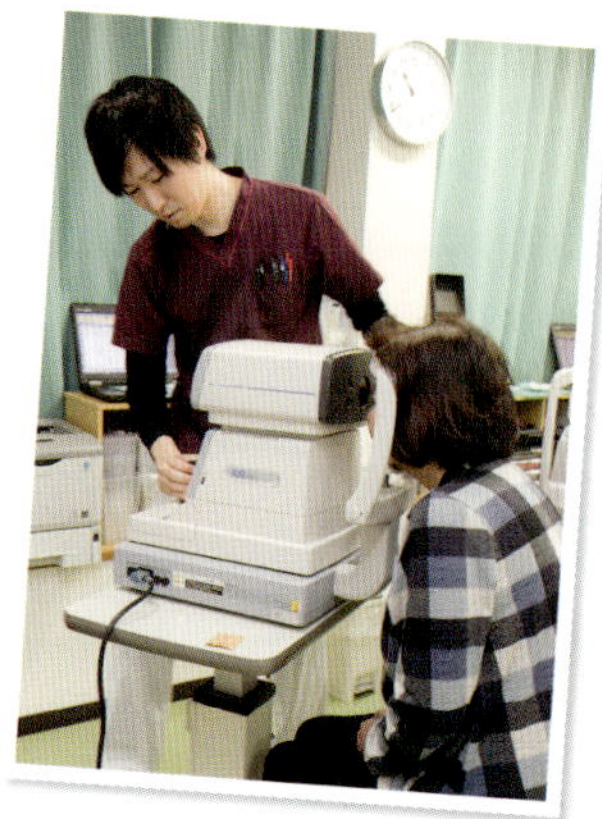

インタビュー編 いろいろな場所で働く視能訓練士さん

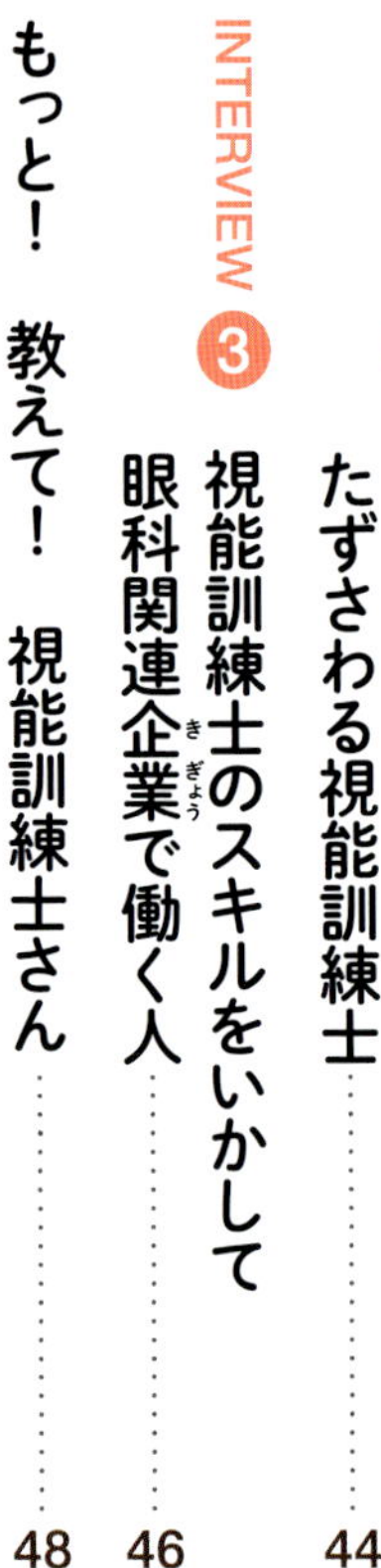

Part 2 目指せ視能訓練士！ どうやったらなれるの？

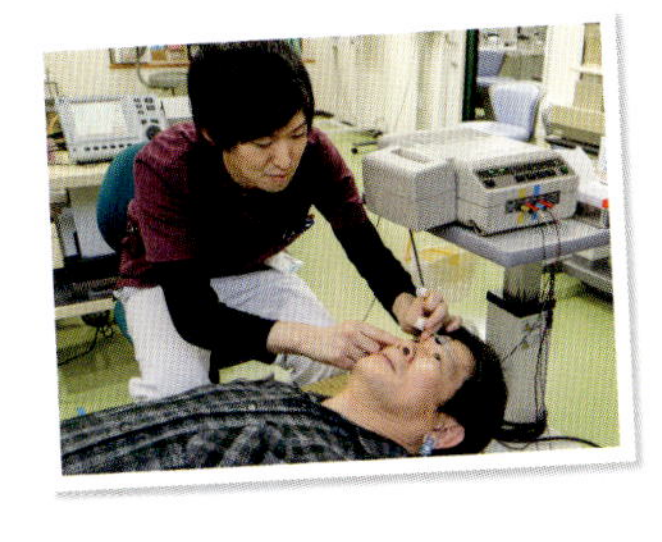

※この本の内容や情報は、制作時点（2018年5月）のものであり、今後変更が生じる可能性があります。

視能訓練士の仕事場

視能訓練士の仕事場はおもに病院や診療所などの医療施設ですが、働く施設の規模や種類によって、仕事の内容はちがいます。教育機関や眼科関連の企業などで活躍する視能訓練士もいます。

診療所（クリニック）

入院設備をもたない、または入院ベッド数が19床以下の医療施設を「診療所」といいます。視能訓練士が活躍するのは眼科専門の診療所（眼科診療所）で、眼科医院、眼科クリニックなどの名前で開設されています。視能訓練士は、視力検査、屈折検査、眼圧検査といった一般的な検査を中心に、目の機能に関する検査を担当します。眼鏡やコンタクトレンズの処方が多い診療所、斜視や弱視の訓練指導に力を入れている診療所など、施設によっても特色があります。

〇〇クリニック

協力

協力

連携

病院

入院ベッド数が20床以上の医療施設を「病院」といいます。視能訓練士が働くのは病院の眼科です。一般的な検査だけでなく、地域の診療所から紹介されて来院する患者さんに専門的な検査を行ったり、手術に必要な検査を行ったりもします。目以外の病気が原因で目に異常が出ることもあるため、ほかの診療科から検査依頼を受けることもあります。病院によっては、視能矯正やロービジョンケア（44～45ページ）も行います。

教育機関・研究機関

視能訓練士養成校では、病院や診療所などで経験を積んだ視能訓練士が、教員として学生の育成にあたっています。また、視能訓練士としての知識や経験をいかし、研究機関で眼科医療に関する研究を行っている人もいます。

保健所・保健センター

乳幼児健康診査（33ページ）や生活習慣病検診などで視力検査が行われる際に、地域の病院や診療所が協力して視能訓練士が検査に参加することがあります。目の病気は早期発見、早期治療が大切なので、視能訓練士の知識と技術が必要とされています。

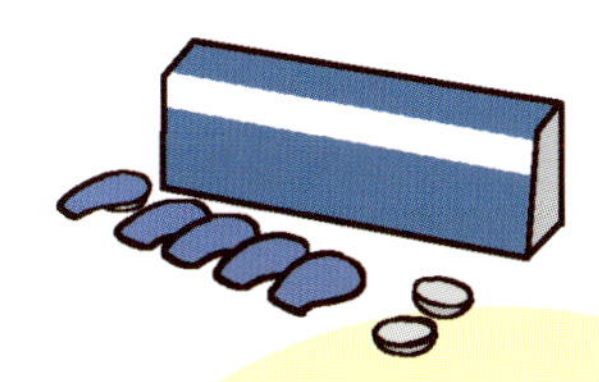

眼科関連企業

眼科検査に使われる医療機器やコンタクトレンズ、眼鏡などをあつかう企業に就職し、視能訓練士養成校で学んだ知識や技術をいかして、製品の開発をしたり、自社の製品を紹介する営業職として活躍したりする人もいます。

チェック!!

病院の種類によって、視能訓練士の仕事内容もさまざま

病院には、さまざまな種類があります。大きく分けると、より高度な医療を提供する国立病院や大学病院、地域医療の要となる私立病院や公立病院などです。また、視能訓練士の仕事場の一つとして、眼科専門で診療する眼科病院もあります。病院の機能や求められる役割がそれぞれ異なるため、そこで働く視能訓練士の仕事内容もちがってきます。

視能訓練士はいつもどんなスタイルで、どんな道具を使って仕事をしているのでしょう。身につけているものや身だしなみのポイント、よく使う道具を紹介します。

ユニフォーム

髪型

長い髪はまとめる。前や横の髪が目や顔にかからないようにする。

メイク

身だしなみとしての健康的なメイクはOK。

名札

来院した人に名前や職種がわかるように、胸に名札をつける。

コ・メディカルウェア(上衣)

半そでで立てえりのユニフォーム。いろいろな色があり、職種ごとに色を使い分けている場合が多い。寒いときは上に長そでの白衣をはおる。

手・つめ

病気などの感染を防ぐため、こまめに消毒して清潔に保つ。つめは短く切っておく。

コ・メディカルウェア(パンツ)

患者さんの視線に合わせてしゃがむことも多いため、動きやすく機能的なパンツスタイル。

靴

つま先、足の甲、かかとがおおわれている、仕事がしやすく活動的な靴。ベースは白で、ひも靴の場合は結び目を短めにし、ひもがほどけないように気をつける。

※「コ・メディカル」とは、医師とともに医療にあたる専門職の総称。

チェック!!

アイメイクはひかえめに!

患者さんによい印象を与える明るく健康的なメイクはOKですが、眼科では、濃いアイメイクは禁止。つけまつ毛ももちろん禁止です。マスカラやアイライナー、アイシャドウといったアイメイク用の化粧品は、つけるときにどうしても目に入ってしまうため、毎日つけ続けることは目の健康によくないからです。目の健康を守るプロとして、患者さんのお手本にならなければいけないと考えています。

よく使う道具

検眼枠

視力測定に使うフレーム。レンズの入れかえが簡単で、何枚かのレンズを重ねてはめることも可能。

マスコットつきのペン

視力表を指すときや、眼位検査で子どもの視線をひきつけるために使う。

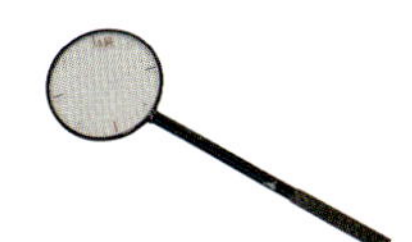

クロスシリンダー

乱視の方向や強さをくわしく検査することができる器具。

瞳孔計

両目の瞳孔（黒目と呼ばれる部分）の間の距離や、瞳孔の直径の大きさなどをはかる器具。

遮閉具

片方ずつ目をおおい、斜視（28ページ）の有無や、どちらの目に斜視があるかなどを調べるカバーテストに使用する。赤フィルターや半透明の遮閉具もある。

ライトつき検眼鏡

ライトのついたポケットサイズの検眼鏡。患者さんの目にライトで光を入れて小さい穴からのぞき、眼底を観察する。分解するとペンライトとして使える。

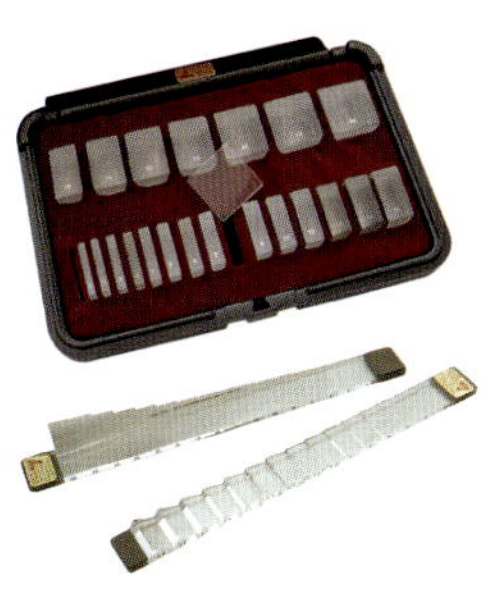

角プリズム（上）
プリズムバー（下）

斜視の角度をはかる際に使う。これらをまとめて「プリズム」とも呼ぶ。

スクラブ

半そででVネックの医療用ユニフォーム。

勤務先によってユニフォームの色や形はさまざまですが、男性も女性もほぼ同じスタイルです。患者さんに子どもが多い場合は、カラフルな柄つきのユニフォームを採用しているところもあります。

目の構造と「見ること」

目は、自動的にピント調節をしてくれる優秀なオートフォーカスカメラ

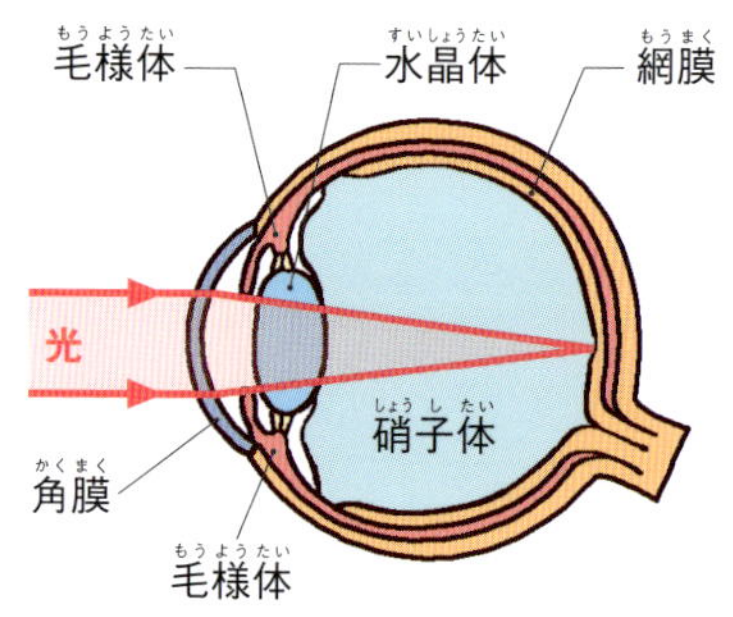

目の構造は、カメラに似ています。角膜と水晶体という2枚のレンズが目に入ってくる光を屈折させ、網膜というフィルムの上に像を結ぶのです。1枚目のレンズ「角膜」の形は変化しないため、光の屈折する度合いはいつも一定で、ピント調節はできません。一方、2枚目のレンズ「水晶体」は、周囲にある毛様体という筋肉の働きで厚みを変化させ、屈折の度合いを変えて、ピントを調節することができます。

近くのものを見るとき、毛様体は自然に緊張して水晶体を厚くし、遠くを見るときには、緊張をといて水晶体をうすくします。つまり、私たちの目は、見るものとの距離に合わせて自動的にピント調節をしてくれるオートフォーカスカメラと同じ働きをしているのです。

「見ること」には、視覚だけでなく脳の機能も深く関係しています

「これは何ですか？」とりんごの絵を見せられたとき、「りんごです」と答えるためには、目というカメラだけではまったく用が足りません。目からとり入れた情報が脳に伝えられ、必要な情報を選び出して、その特徴を見つけたり、過去の記憶を呼び出したりすることで、はじめてそれがりんごであることを理解し、判断することができます。

つまり、「見ること」そして「見てわかること」には、目だけでなく、ものごとを理解したり判断したりする脳の機能も必要で、これらをまとめて「視覚」とよびます。ですから、目のスペシャリストである視能訓練士は、目の構造だけでなく、脳の機能についても理解していなければなりません。

Part 1

視能訓練士の一日を見て！ 知ろう！

病院の眼科で働く視能訓練士、
大学病院で視能矯正（きょうせい）にもたずさわる視能訓練士、
それぞれの一日に密着！

病院で働く 視能訓練士の一日

取材に協力してくれた視能訓練士さん

関口 諒祐さん（28歳）
熊谷総合病院 眼科
視能訓練士

Q どうして視能訓練士になったのですか？

高校卒業後に一度は就職したのですが、社会人1年目のときに弟が角膜潰瘍という病気になり、片目がほとんど見えなくなってしまいました。弟のために役立つ仕事をしたいと思い、眼科に関する仕事について調べていたところ、視能訓練士という仕事を知りました。仕事をやめて専門学校に入り直し、今、視能訓練士になって7年目です。

Q どんな患者さんを担当していますか？

乳幼児からお年寄りまで、幅広い年代の患者さんが来院します。病院の眼科なので、地域の眼科診療所では対応できない難しい状態の患者さんが紹介で来院することも多いです。たのもしい先輩、気の合う同期との3人の視能訓練士で、1日に50人ほどの患者さんの検査を行っています。

ある一日のスケジュール

8:00 出勤
▼
8:30 午前の検査開始
▼
12:30 昼休み
▼
13:30 午後の検査開始
▼
16:30 検査終了、片づけ
▼
17:00 終業

出勤

? 朝、いちばん最初にする仕事は?

おはようございます

この日に検査予約が入っている患者さんはおよそ50人。眼科検査室に設置されているパソコンから、患者さんのカルテをチェックします。

カルテをチェックして、最適な検査プランかどうか確認

家から職場までは約1時間かけて車で通勤しています。病院に着いたらユニフォームに着がえ、眼科の検査室に向かいます。眼科はいつも混雑しているので、この時点ですでに待合室で待っている患者さんもいます。検査室内にたくさんある検査機器の電源を入れて、パソコンを起動させ、8時30分からの検査開始に備えます。

検査開始前に行うのは、その日に検査予約が入っている患者さんのカルテをパソコンでチェックすることです。一人ひとりの症状を確かめながら、最適な内容の検査がスケジュールに組まれているか、検査内容にもれがないかを確認します。「この患者さんはかなり視力が低下しているから、検査室に入ってもらうときには、待合室までむかえに行ったほうがよさそうだな」などと、あらかじめ頭に入れておきます。

8:30

午前の検査開始

?

検査の内容は
だれが決めるの？

事前に症状などを記入してもらう問診票に「右目が見えにくい」とあれば、「いつからですか？」「どんなふうに見えにくいですか？」とくわしく聞いていきます。

医師が決めた検査内容を、あらゆる可能性を考えつつ実施

眼科では、医師が決めた検査内容にしたがって視能訓練士が検査を行い、検査の結果をもとに患者さんが医師の診察を受けるという流れが一般的です。

初めての患者さんの場合、問診（体調などを聞くこと）も視能訓練士の大切な仕事です。ごく一般的な検査をする場合でも、視能訓練士はあらゆる病気の可能性を頭にうかべています。なかには、すぐさま治療を始めないと視力を失ってしまうような病気もあります。そんな病気が疑われる場合は、真っ先に医師に知らせなくてはいけません。

視能訓練士は、患者さんが検査室に入るときから注意深くようすを見て、「足もとがよく見えていないのかな」「視野が欠けているかも」などと考えています。検査室内には検査機器がたくさんあるので、視力の低下した患者さんがつまずかないよう誘導もします。

? 眼科の検査は何種類くらいあるの?

眼圧は、緑内障などの病気の診断や治療の過程で不可欠な情報です。モニターに患者さんの目が映っているので、目にねらいを定めて空気を当てます。

検査機器(オートレフトラクトメータ)をのぞくと、道の向こうに気球がうかんでいる絵などが表示されています。絵をわざとぼやけさせることで、ピントを調節する筋肉が働いていない状態をつくり、屈折の度数を計測します。

多数ありますが、一般的なのは屈折検査、眼圧検査、視力検査

検査の種類はたいへん多く、全部合わせると何十種類にもおよびますが、眼科を受診した際にすべての人が受ける一般的な眼科検査は、屈折検査、眼圧検査、視力検査の3つです。このほかに、症状や年齢に応じて、よりくわしい検査を加えていきます。

屈折検査とは、光が目の中でどのように屈折して、どこに焦点を結んでいるかという、屈折の度数を調べる検査です。近視、遠視、乱視の有無や、その程度がわかります。機械の中に表示される絵を患者さんに見てもらいながら、赤外線で目の状態を計測します。

眼圧検査では、眼球に一瞬、空気を当て、どれくらい眼球がへこんだかで眼圧(眼球の中の圧力、目のかたさ)を測定します。この検査の結果は、緑内障などの病気を見つける手がかりになります。

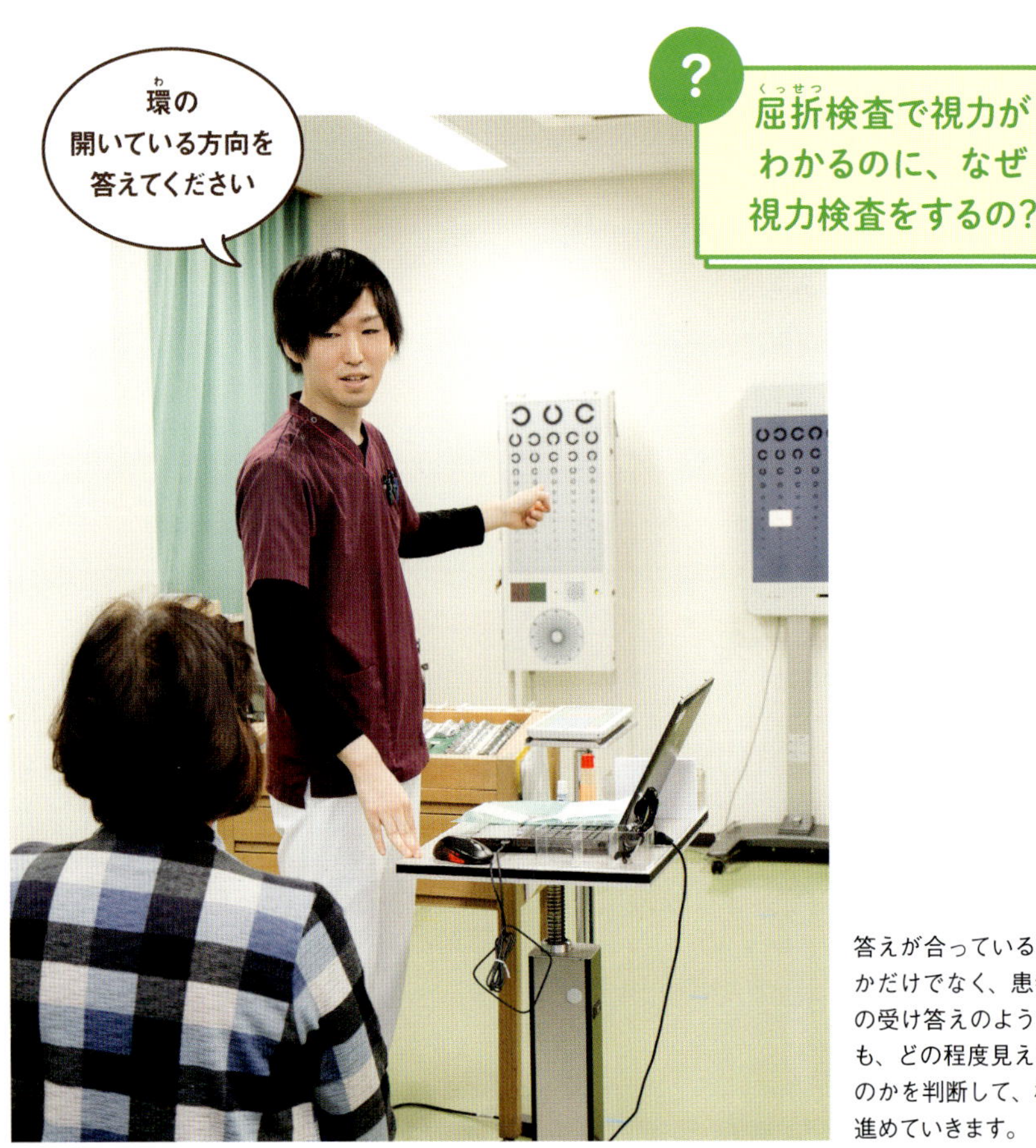

屈折検査で視力がわかるのに、なぜ視力検査をするの？

答えが合っているかどうかだけでなく、患者さんの受け答えのようすからも、どの程度見えているのかを判断して、検査を進めていきます。

実際にどれくらい見えるのかを視力検査で確認します

機械による屈折検査で、近視や遠視のおおよその程度がわかりますが、視力検査では、実際にどのくらい見えているかを確認します。アルファベットの「C」に似た「ランドルト環」という視標（検査のために用いる目印）が並ぶ視力表を用いるのが一般的です。

視力検査は患者さん自身に答えてもらうことで成立する検査です。検査を行う際には、本当に見にくいのか、うまく答えられないだけなのかを判断しながら、最適な視標を選び、示していく技術も求められます。

視力検査は時間がかかるため、特に子どもやお年寄りの患者さんは、検査にあきたりつかれたりして、答えがあいまいになってしまうことがあります。正確にスピーディに視力を測定するためには、患者さんとじょうずにコミュニケーションをはかりながら検査を進めていかなくてはなりません。

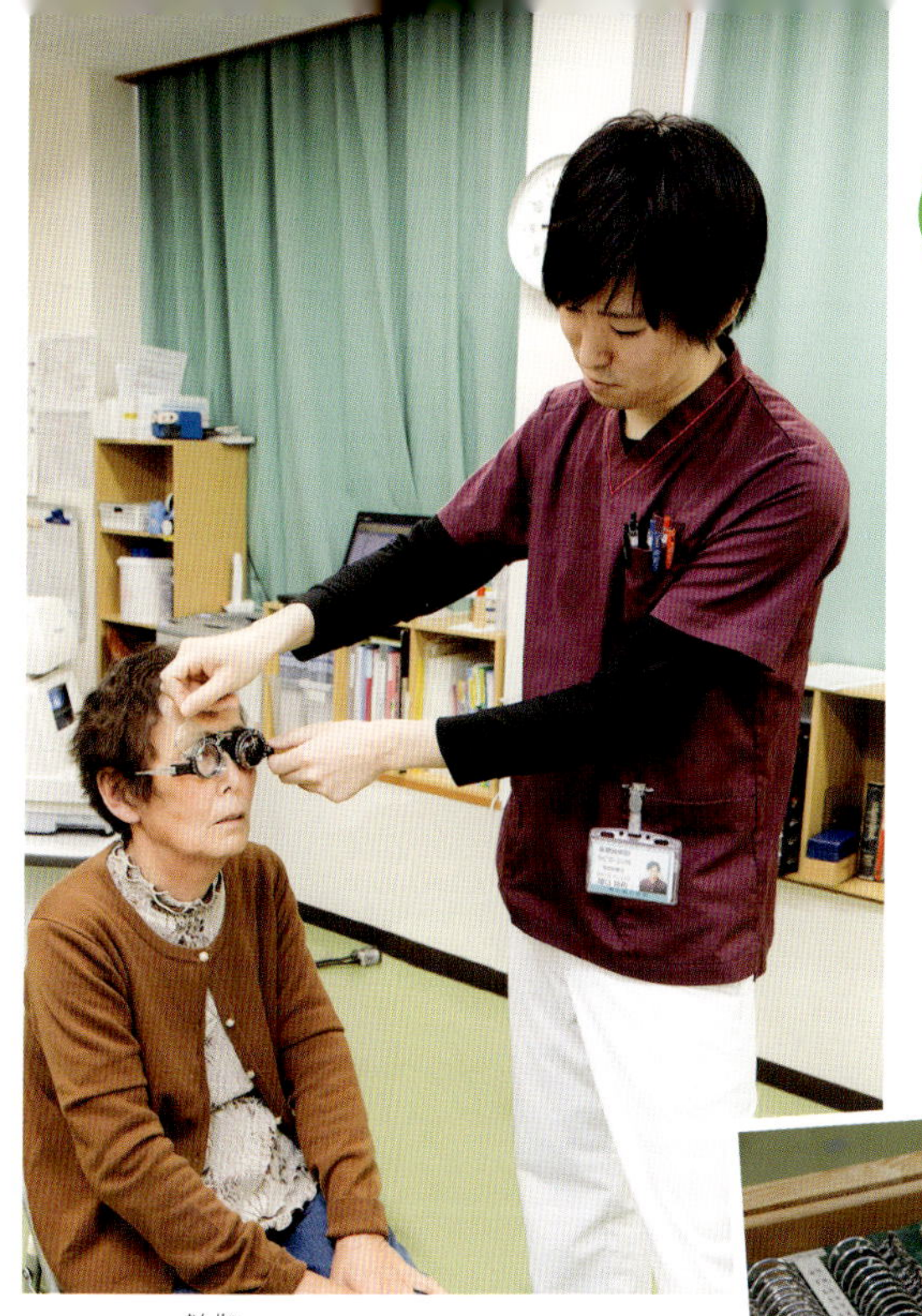

「それぞれの患者さんに合わせたわかりやすい言葉選びを心がけています」と関口さん。正確な検査結果を引き出すにはコミュニケーション能力が欠かせません。

視力検査で
レンズを入れるのは
何のため?

視力検査で用いる検眼レンズ。それぞれの患者さんがいちばん見やすいレンズを使い、検査を行います。

それぞれの患者さんごとの最もよく見える度数を見つけます

視力をはかるときには、検眼枠という眼鏡のような形をした器具を患者さんにかけてもらい、検眼レンズをさしこんで、視力を確認していきます。検眼レンズはそれぞれの強さのものに右用、左用があり、屈折検査のデータをもとに、患者さんにとって最良の視力が出るレンズを選んで実際に見え方を確かめていきます。乱視がある患者さんの場合は、乱視用のレンズをさらに重ねて調整します。

近視、遠視、乱視があっても、レンズを入れれば見えるなら、見る機能は正常です。しかし、水晶体がにごる白内障、網膜がはがれる網膜剥離など、病気がある場合は、どんなに強いレンズを入れても見えるようにはなりません。視力検査は、見る機能を評価し、異常を発見するために不可欠な検査なのです。

視力検査の結果から、ほかの検査が必要になりそうな場合は、医師に相談します。

目の機能は脳にも関係するため、視野が欠けている患者さんなどは、脳の検査が必要な場合もあります。指示された検査をこなすだけではなく、患者さんの状態を注意深く観察して、医師に伝えることもだいじです。

検査の結果はもちろん、異常を発見した場合も正確に報告

通常、医師の指示のもとに視能訓練士が屈折検査、眼圧検査、視力検査を行い、医師に結果を伝えたあと、医師が診察をします。そして、必要に応じて追加検査を指示し、視能訓練士がさらに検査を行います。検査の結果は、診断を行う際の重要な判断材料になるので、正確にミスなく報告することが、とても大切です。

最初の検査の段階で視能訓練士が異常を発見したときは、その情報をもとに医師が診察前に追加検査を指示する場合もあります。必要な検査を先に行うことで、医師はより多くの情報をもとに診察できるのです。指示された検査をただ行うだけでなく、想定外の症状を見つけた場合、医師にいち早く情報を提供して指示をあおぐことも、チーム医療のなかで視能訓練士が果たす重要な役割といえるでしょう。

※CT：Computed Tomography（コンピュータ断層撮影）

目の異常を見つけるさまざまな検査

**さまざまな視標を用いて適正に視力が出ているかチェック。
時間をかけずにいかに正しく測定できるかが腕の見せどころ**

視力検査のときに、視力表の下のほうに、放射状に線が引かれた図や、赤と緑の背景に二重丸がかかれた図があるのを見たことがありませんか？　これらの図も、視力検査に用いる視標の一つです。

放射状に線が引かれた図は乱視表といって、線の見え方によって、乱視の有無を調べることができるものです。乱視がほとんどない人だと、線の太さは均等に見えますが、乱視があると、どこかの線だけがぼやけたり、くっきり見えたりと見え方にむらが出たり、縦や横にのびて見えたりします。

赤と緑の背景に二重丸がかかれた図は、レンズで視力を調節したあと、そのレンズの度数が適正かどうかを確認するために用います。この検査は、レッドグリーンテストといいます。赤と緑が同じようにはっきり見えているときや、赤のほうが強くはっきり見える場合は、おおよそ適正に視力が調節されていると判断できます。緑のほうがはっきり見えている場合は、目がつかれやすい状態なので、レンズの度数を調整する必要があります。

ランドルト環を用いた検査では、同じ大きさの視標を示したときに、過半数を正解すれば、その視標が示す視力値があるとするのが世界共通の検査の基準です。しかし、完全にくっきりと見えていないと答えない患者さんもいれば、当てずっぽうで答えてたまたま正解する患者さんもいるので、視能訓練士はそこを正しく評価し、なおかつスピーディに検査を行う必要があります。視能訓練士の腕の見せどころでもあります。

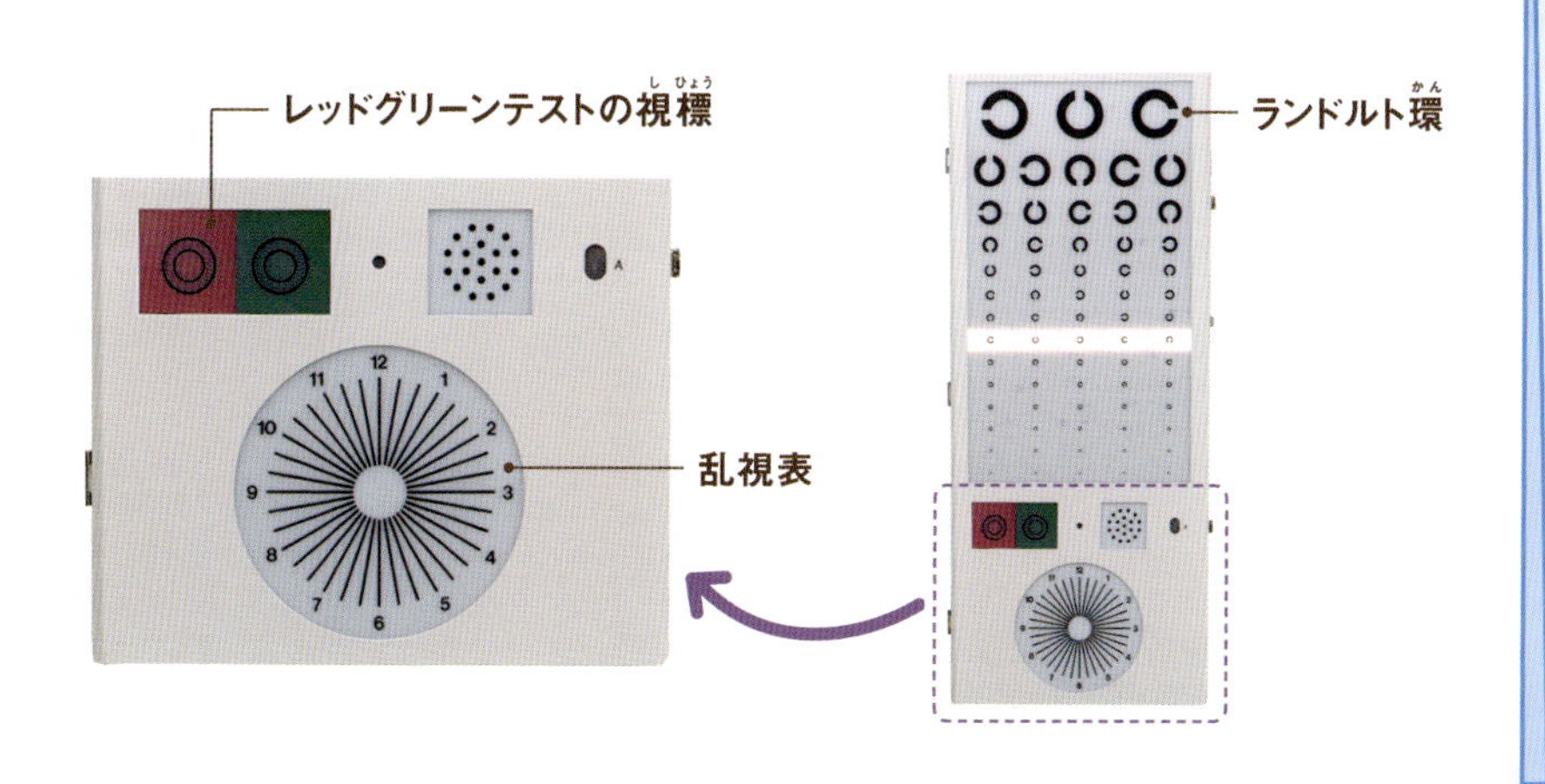

最新の検査機器の使い方は、どうやって勉強するの?

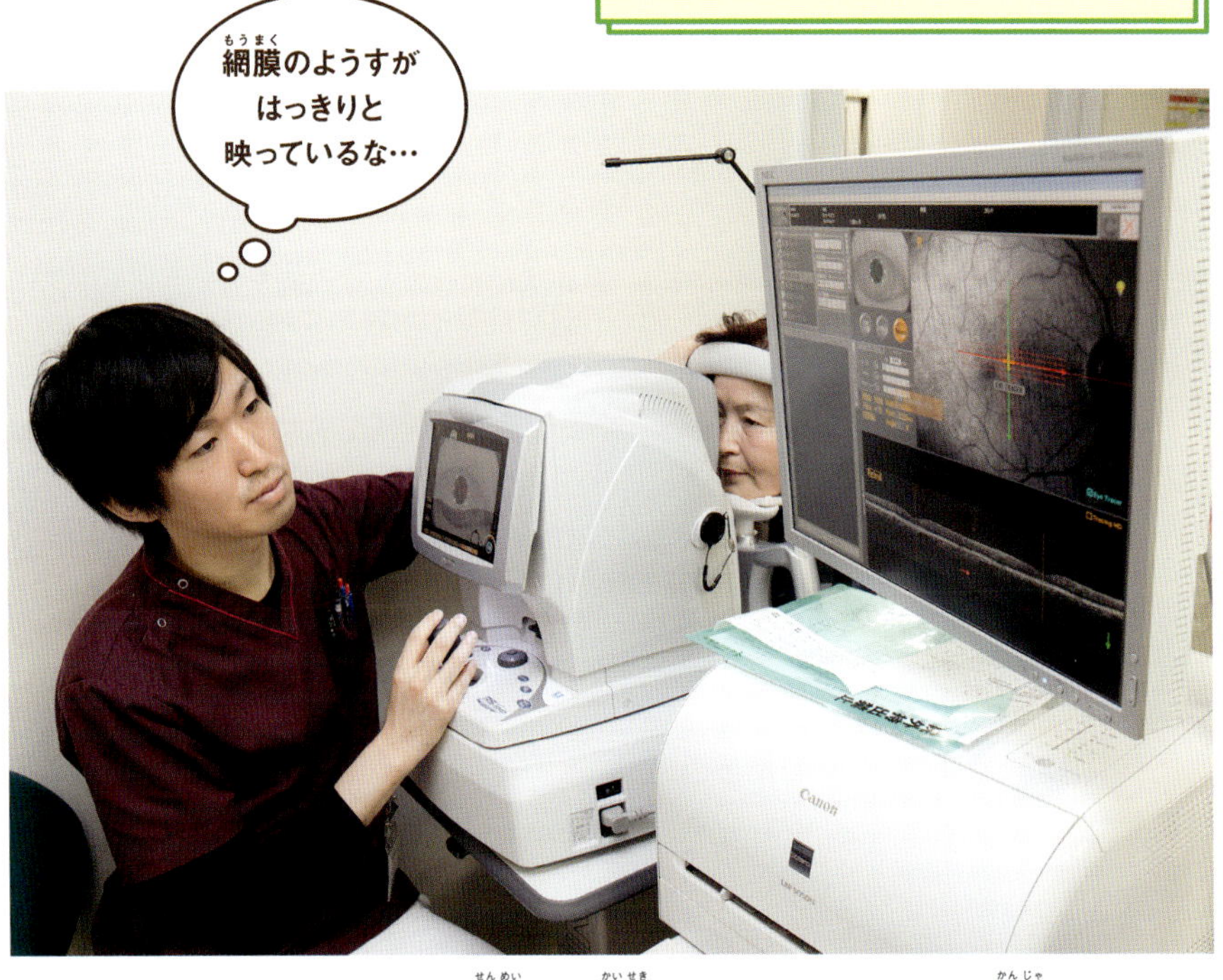

OCTでは、少しでも顔を動かしてしまうと鮮明な画像解析ができないため、短時間ですが患者さんには動かないようにしてもらいます。

学会などに積極的に参加して、新しい情報をキャッチ

視能訓練士が使う検査機器にはさまざまなものがあります。上の写真は、OCT（光干渉断層計）という機器で、網膜の構造を精密に調べるために開発された最新の検査機器です。眼底カメラ（23ページ）が網膜の表面しか撮影できないのに対し、OCTは赤外線を利用して網膜の断面を画像化できるため、網膜の断面を拡大してくわしく調べたり、網膜の厚みを正確に測定したりすることができ、病気の早期発見に役立ちます。

医療機器は、患者さんへの負担が少なく、よりくわしく検査できるものへと、日進月歩で変化しています。視能訓練士は学会などに積極的に参加して、最新機器の情報を身につけなくてはなりません。

患者さんが機械での検査に恐怖心をいだく場合もあるので、声をかけて緊張をほぐしながら、すばやく正確に検査を行います。

眼底検査でわかるもの

眼底カメラを使って、眼底のようすを撮影。
異常が疑われる部位をのがさず鮮明に撮影することが求められます

眼科の検査室にはたくさんの検査機器が並んでいます。視力検査、屈折検査、眼圧検査などの基本的な眼科検査のほかに、症状や年齢に応じて、よりくわしい検査を加えていきます。

その一つに眼底検査があります。下の写真は、眼底カメラという機器です。眼底とは眼球の内面の部分のことで、網膜が感じた情報を脳に送る視神経や、網膜に栄養を運ぶ血管などが存在しています。眼底部分の病気が疑われるときには、医師の指示のもと、眼底カメラを使って視能訓練士が眼底を撮影します。

眼底を撮影する際には、医師が異常を疑う部位を確実にとらえて撮影することが求められます。眼底を広範囲に写すために、瞳孔を開かせる目薬を点眼してから撮影する方法と、目薬を使わずに撮影する方法があります。また、硝子体という部分に大量の出血があると、通常の眼底検査では網膜の状態が確認できないため、超音波検査（24ページ）やERG検査（25ページ）を行うこともあります。

眼底検査によって見つけられる目の病気には、網膜剥離や緑内障などがあります。下の画像は網膜剥離の患者さんの眼底画像です。網膜剥離は治療せずにほうっておくと視力を失うこともある病気ですが、早期に発見し、治療することで、視力への影響は少なく済みます。

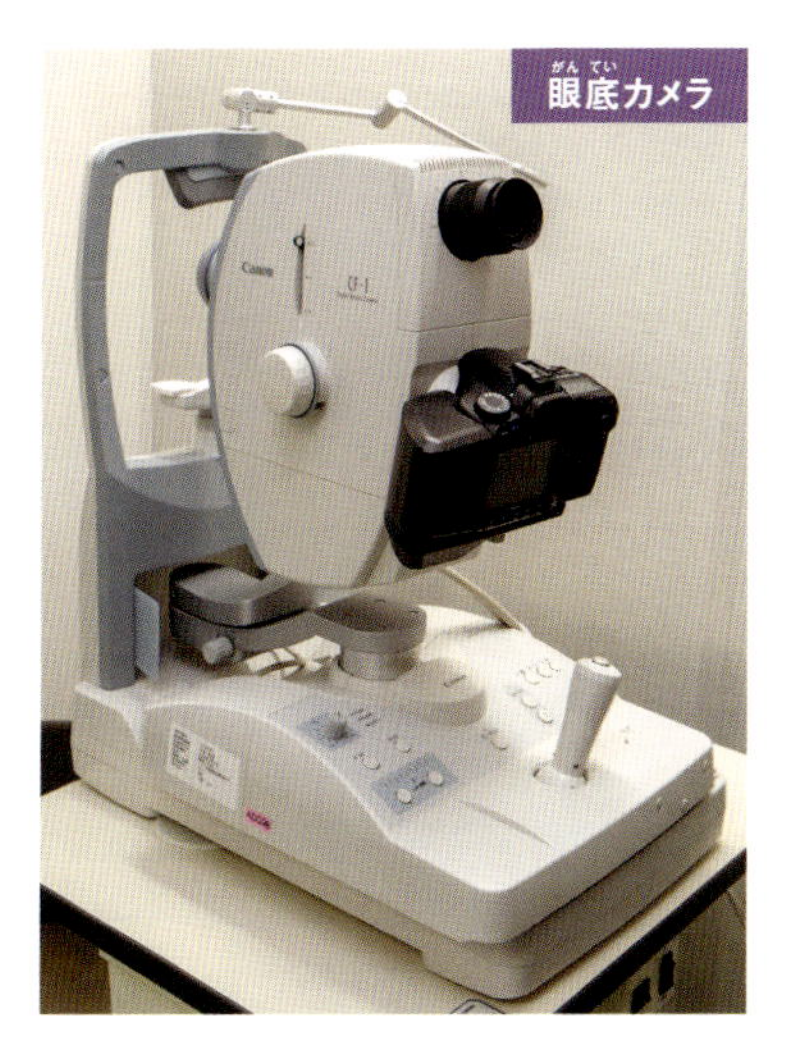

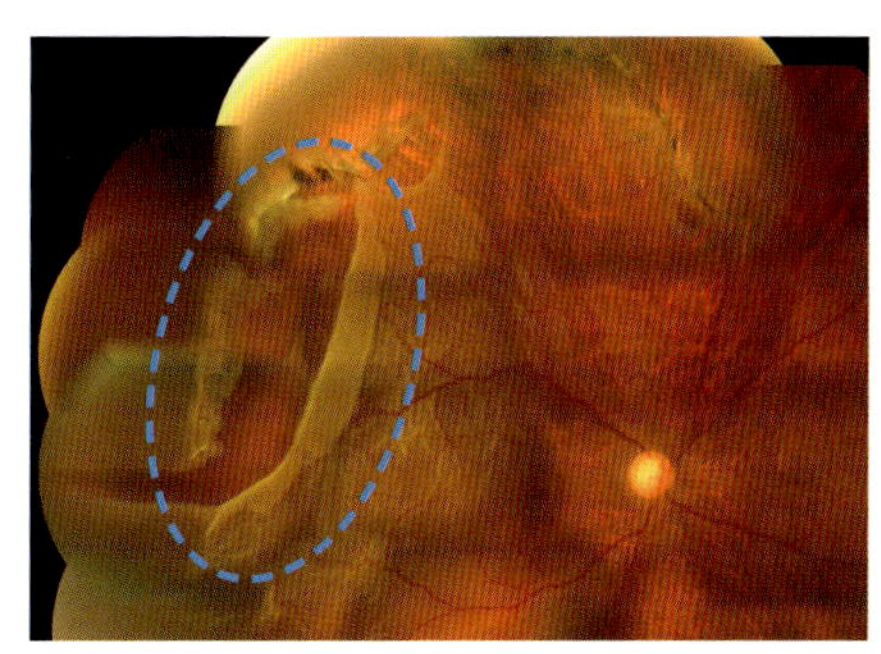

上の写真は、眼底カメラで撮影した画像を数枚つなぎ合わせたもの。点線で囲んだ部分の網膜がはがれているのがわかります。網膜剥離とは、このように網膜が眼球の内側のかべからはがれてしまうことです。

13:30

午後の検査開始

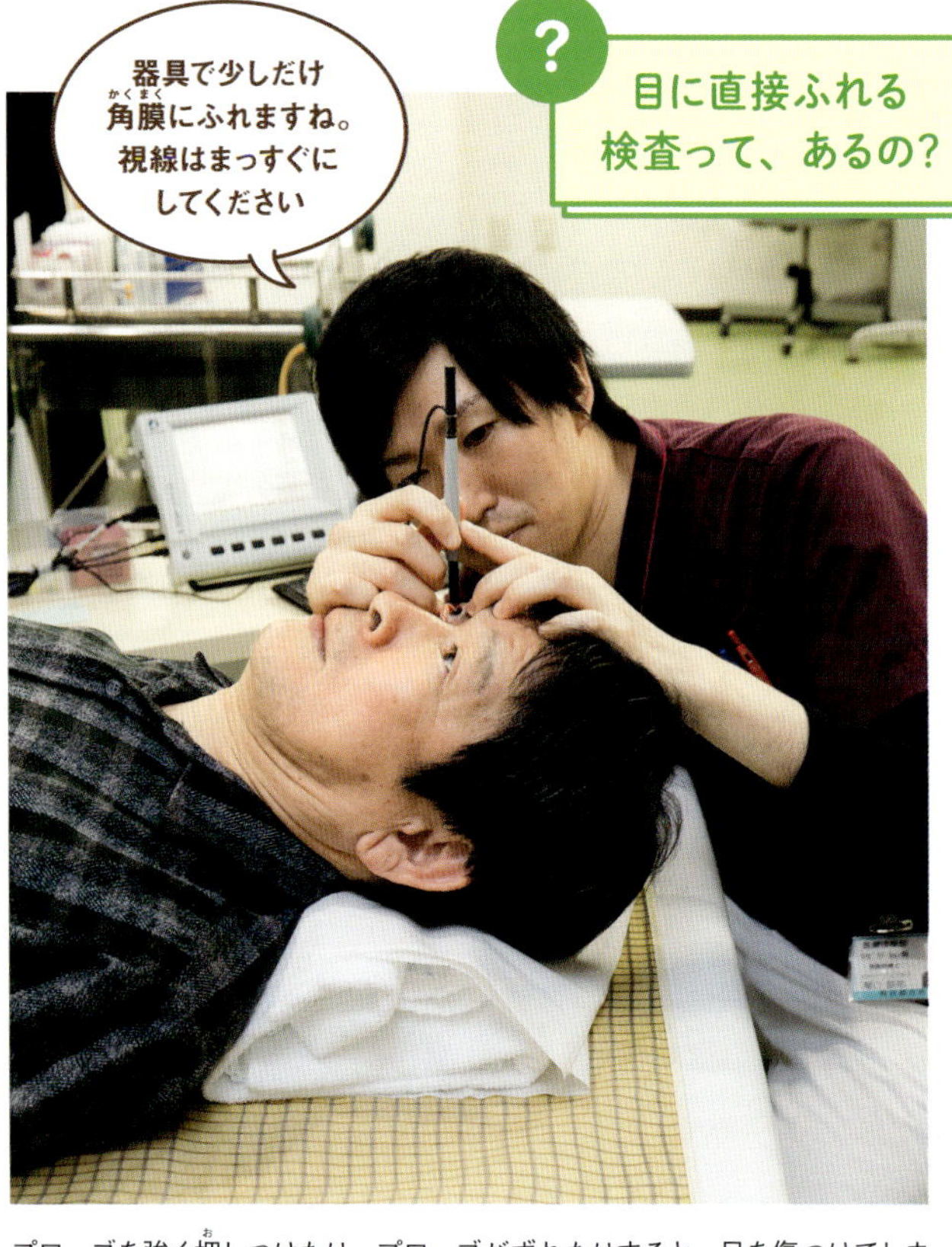

プローブを強く押しつけたり、プローブがずれたりすると、目を傷つけてしまうおそれもあるので、注意が必要。技術が求められる検査です。

超音波検査Aモードでは、角膜にプローブを直接当てて計測

上の写真は、超音波検査Aモードという検査のようすです。白内障の手術前には、光学式眼軸長測定装置（※）による検査とともに、この検査を行います。

超音波検査Aモードでは、角膜にプローブという器具を直接当て、眼軸長（目の奥行き）を正確に計測します。検査前にあらかじめ麻酔薬を点眼してもらうので痛みは感じませんが、目に直接プローブがふれるので、患者さんは緊張します。負担をかけないよう、検査を手早く進めることもだいじです。

眼科の超音波検査には、眼軸長を計測するAモード、目の形を超音波画像でとらえるBモードの2種類があります。Bモードは、重度の白内障や出血などで眼底の状態が観察できない場合に、眼球内のようすを把握するために行う検査で、目を閉じた状態でまぶたの上からプローブを当てて調べます。

※光学式眼軸長測定装置：光線を用いて眼軸長（目の奥行き）などを測定する検査機器

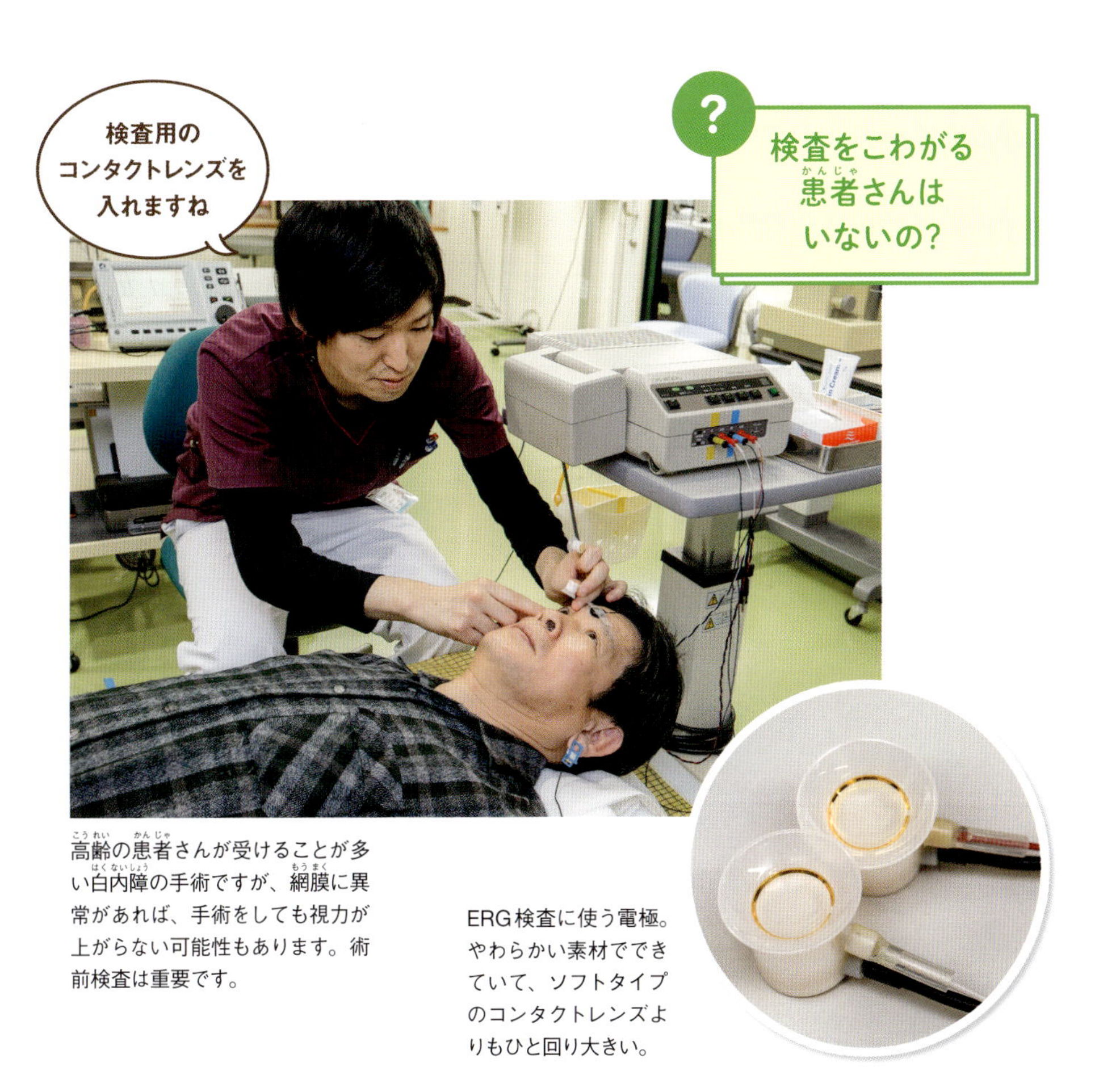

検査をこわがる患者さんはいないの?

高齢の患者さんが受けることが多い白内障の手術ですが、網膜に異常があれば、手術をしても視力が上がらない可能性もあります。術前検査は重要です。

ERG検査に使う電極。やわらかい素材でできていて、ソフトタイプのコンタクトレンズよりもひと回り大きい。

検査内容の説明は、それぞれの患者さんに合わせて

検査の前には、視能訓練士が、どんな目的でどんな検査をするのかを患者さんにわかりやすく伝えます。ただ、くわしく説明したり、機器を見せたりすることで、逆にこわがってしまう患者さんもいるので、受け答えのようすやその日の体調などを考慮しながら、それぞれの患者さんに合わせて説明の仕方をくふうします。

ERG（網膜電図）検査は、網膜に光を当てたときに生じる電気信号をもとに、網膜の働きに異常がないかどうかを調べる検査です。白内障の手術前にも行うことがあります。ERG検査では、電気信号をキャッチするための電極をうめこんだコンタクトレンズのような装置を目に入れる必要があるので、患者さんが抵抗なく検査を受けられるようコミュニケーションをとり、不安をやわらげるようにしています。

特に時間がかかる検査は?

患者さん側から見ると…

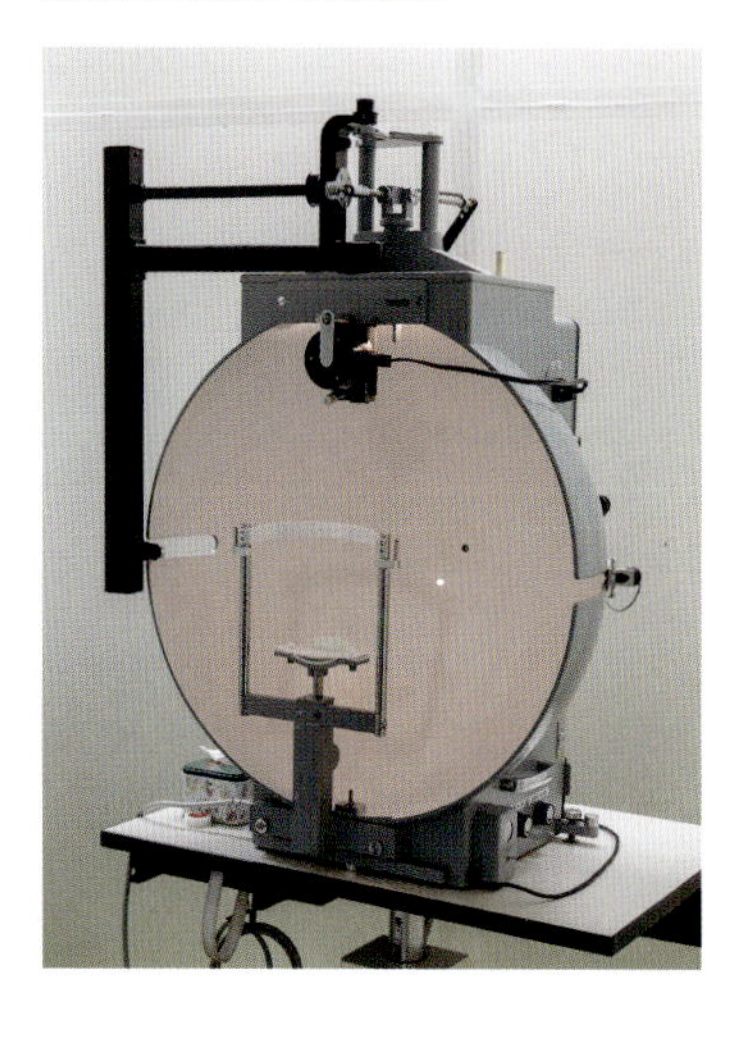

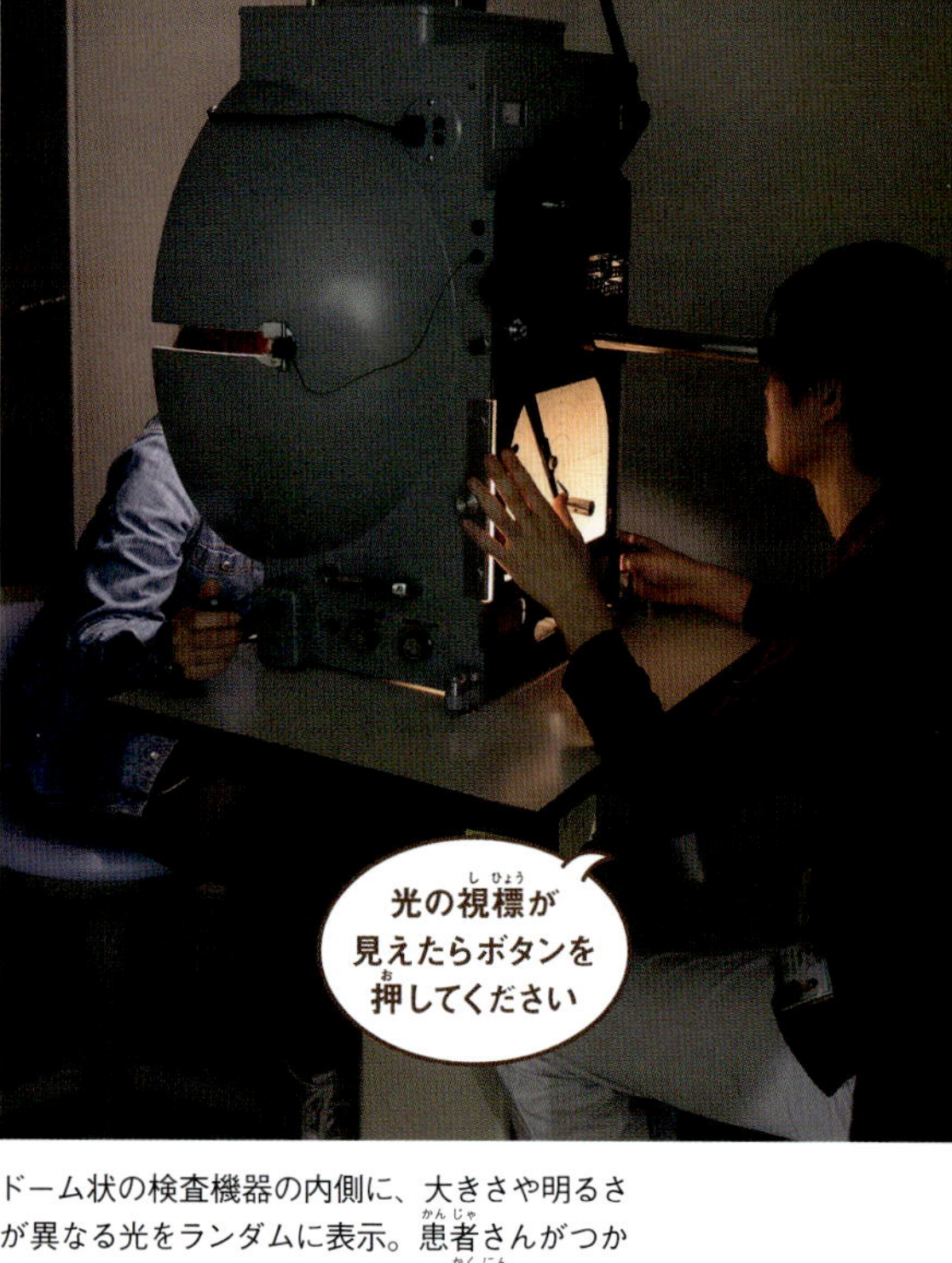

ドーム状の検査機器の内側に、大きさや明るさが異なる光をランダムに表示。患者さんがつかれて集中力がとぎれていないか、確認しながら検査を進めていきます。

両目で30分ほどかかる検査も。すばやく正確に行います

視野とは、目を動かさずに見える範囲のことをいいます。眼科で行う検査のなかでも、視野検査は重要な検査の一つです。

広い範囲の視野を調べることができるのは、ゴールドマン視野計を使った検査です。患者さんは、ドーム状の機器に顔を固定し、眼球を動かさずに前方を見ます。視能訓練士は、機器の内側に、大きさや明るさが異なる光を次々に表示。光が見えたら患者さんにボタンを押してもらいます。

広い範囲の視野を測定できる検査ですが、最短でも片目で15分はかかります。両目を検査すると30分ほど同じ体勢を続けなければならず、患者さんに大きな負担がかかります。経験を積むとスピーディに正確に視野を測定できるようになるため、「きょうは検査が楽だった」と言ってもらえれば、視能訓練士として一人前だともいわれる検査です。

17:00 終業

仕事は時間どおりに終わるの?

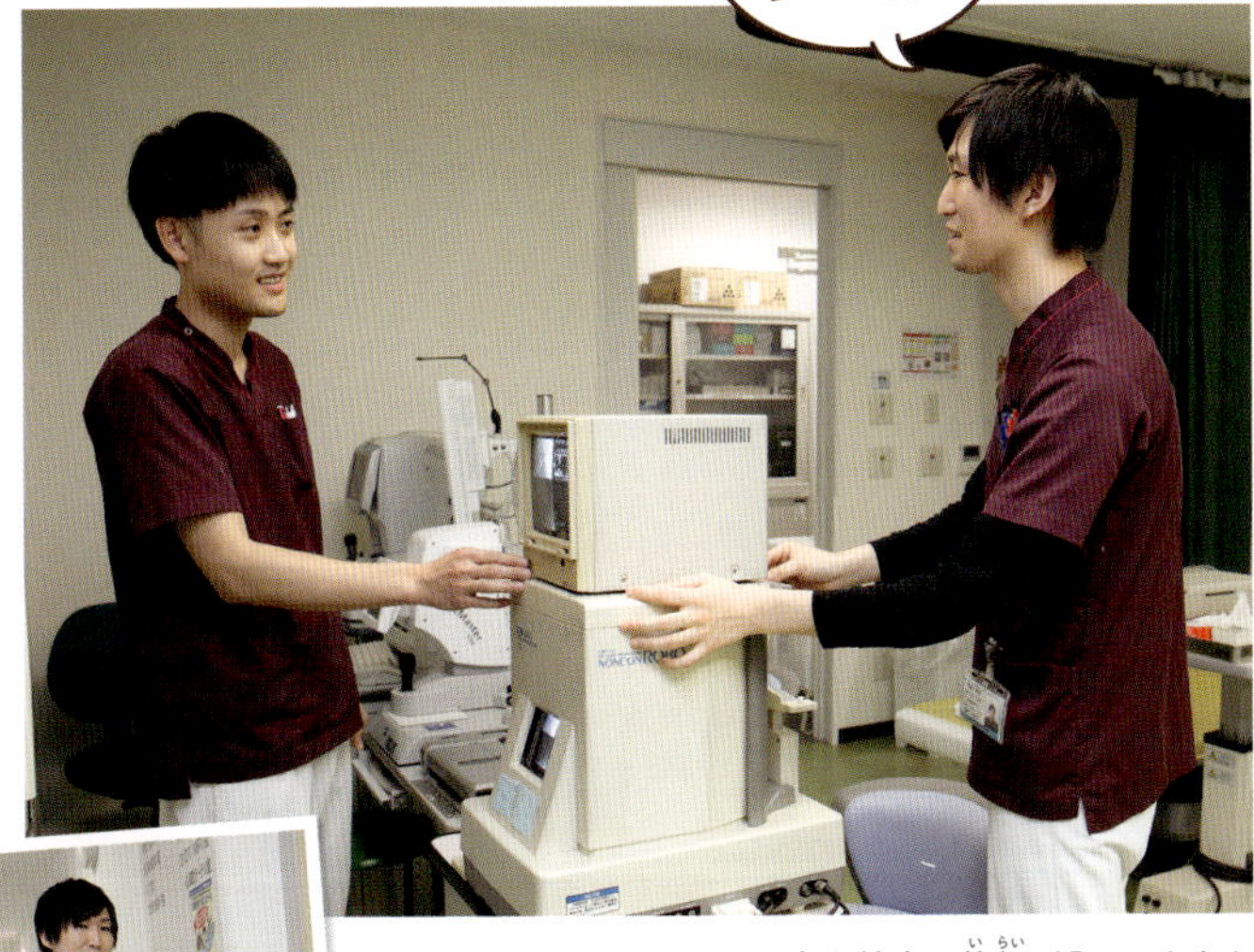

おつかれさまでした!

まれに急な検査の依頼が入ることもありますが、検査は基本的に予約制のため、残業をすることはほとんどありません。ほかの医療職と比べても残業が少ないのは魅力の一つです。

休日出勤や夜勤、残業はなく、プライベートと両立しやすい仕事

16時30分に検査が終わると、事務処理や検査機器の片づけを行います。ほかに、手術を受けた患者さんの手術前後の検査結果を比べてデータをまとめたり、学会発表のために調べものをしたりすることもありますが、基本的に17時には勤務終了となります。

病院で働く視能訓練士には、休日出勤や夜勤は基本的にありません。理学療法士などのリハビリテーション専門職と比較しても残業は少なく、プライベートとの両立がしやすい仕事です。

業務外の時間を、新たな知識や技術を吸収するために使う視能訓練士もいます。病院外での勉強会や研修会に参加したり、視覚障害生活訓練等指導者などの関連資格や、認定視能訓練士の資格取得を目指して勉強したりと、それぞれに努力を重ねて、スキルアップをはかっているのです。

視能矯正にたずさわる視能訓練士の一日

取材に協力してくれた
視能訓練士さん

酒井 彩花さん（27歳）
帝京大学医学部附属病院
眼科
視能訓練士

Q どうして視能訓練士になったのですか？

もともと、病院のことも眼科のこともほとんど知りませんでした。高校生のときに、将来の職業を考えるようになり、さまざまな職業について調べるなかで、視能訓練士という仕事を知りました。くわしく調べていくうちに「目」や「見ること」についてとても興味がわいてきて、視能訓練士を目指すことにしました。

Q どんな患者さんを担当していますか？

視力の発達が遅れたり止まったりしている「弱視」や、ものを見るときに片方の目がちがう方向を向いてしまう「斜視」、そして眼球が自分の意思とは関係なく動いてしまう「眼球振盪（眼振）」の子どもなどを担当しています。患者さんの年齢は、0歳から大学生くらいまでです。

8:30 出勤

担当する患者さんは決まっているの?

きょうも一日がんばるぞ!

患者さんの名前と予約時間のほか、前回の検査結果や経過などもおさらいしておきます。

継続して通院してもらう視能矯正外来は担当制

出勤したら更衣室でユニフォームに着がえ、眼科に向かいます。診察開始に備え、検眼機の前にいすを並べたり、検査機器のカバーを外して電源を入れたりして、すぐに検査が始められるように準備します。

準備ができたら、予約台帳で一日の流れを把握。この日は、午前中が一般外来で、午後が予約制の視能矯正外来です。一般外来では、患者さんの担当は決まっておらず、順番に検査していきます。視能矯正外来は、患者さん一人ひとりに担当の視能訓練士がつく担当制です。継続して通院してもらうため、患者さんとは長いつき合いになります。

予約が入っている患者さんの経過や前回の検査結果は前日に予習し、どんな検査を行うかという方針も自分なりにまとめているため、当日はだれが何時に来るのかをもう一度確認して、頭に入れておきます。

9:00

一般外来での検査開始

? 小さい子の視力ってどうやってはかるの?

これと同じ形にできるかな?

まずは、ランドルト環をどう使うのかをくり返していねいに教え、子どもが楽しみながらとり組めるようにします。

これと同じにしてみてね

カードで示したランドルト環の向きと、子どもが手もとに持っているランドルト環の向きを同じにしてもらいます。

小さい子ども用に考えられたさまざまな検査があります

視力検査と聞いて私たちが真っ先に思いうかべるのは、視力表に並んだランドルト環を見て、示されたランドルト環のどこが開いているかを答える検査です。しかし、この検査方法だと、小さい子どもにとっては、どこを見ればよいのかがわかりづらく、上下左右を答えるのも難しいものです。

そこで行うのが、「字ひとつ視標」という、ランドルト環が1つだけ表示されたカードを使った検査です。子どもは視能訓練士が示したカードを見て、自分がもっているランドルト環を同じ向きになるように回します。

そして、もっと小さい子どものためには、鳥、魚、犬、ちょうちょの絵がかかれた「絵視標」による検査、まだ口がきけない赤ちゃんや言葉の発達に遅れのある子どもためには、子どもの目の動きで大まかな視力をはかる「縞視標」による検査などもあります。

？ どうして何種類もの検査をするの？

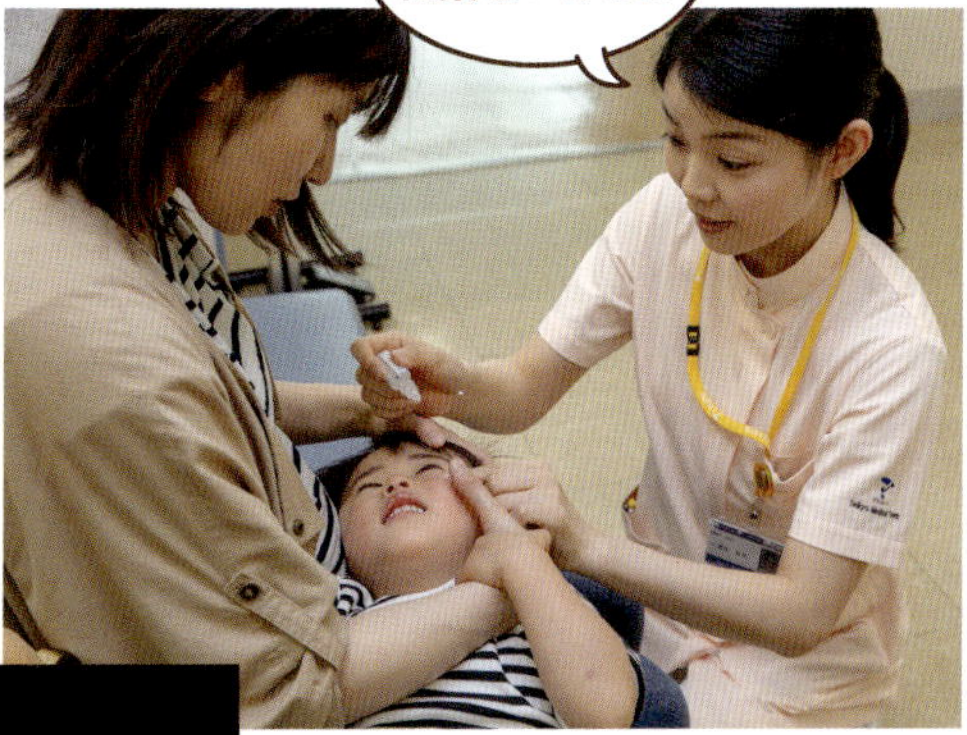

検査のための
目薬をつけるよ

子どもの目はピントを合わせる力が強く、ふつうの状態では屈折の度数を正確に調べることができないため、屈折検査の前にピントを合わせる力を休ませる目薬（調節麻痺薬）をさしてもらいます。

おでこを
ピタッとつけて
じっとしていてね

屈折検査にも、オートレフラクトメータ（17ページ）という機械を使う方法だけでなく、患者さんの瞳孔に光を入れて観察して調べる「検影法」という方法もあります。

組み合わせて行うことで、検査結果の信頼度を高めます

眼科の検査には視力だけでなく、屈折、調節、眼圧（17ページ）、眼位、視野（26ページ）、眼球運動、色覚（色の感覚）、光覚（光を感じる感覚）など、さまざまな検査項目があります。しかも、一つの検査項目について数種類の検査方法があるため、視能訓練士が行う検査の種類はとても多いのです。いくつかの方法を組み合わせて行い、さまざまな角度からのデータを集めることによって、検査データの精度を高めることができます。

例えば、ものを見るときのひとみの位置を調べる「眼位検査」には、片目をおおったり、おおいを外したりする間に、もう片方の目の動きを見る「カバー・アンカバーテスト」、プリズムを使った「プリズムカバーテスト」、角膜に光を当てて調べる「ヒルシュベルグテスト」（32ページ）など、さまざまな方法があり、必要に応じて何種類かの検査を行います。

眼科にはどうして暗い部屋があるの？

ヒルシュベルグテストは、患者さんの眉間のあたりに光を当てて行います。眼位検査は視能訓練士が目で見て評価を行うため、経験が必要です。新人は先輩の検査結果と自分の検査結果を見比べながら、検査の精度を上げていきます。

こわがって暗室に入れない子どもの場合、まずは明るい待合室で目の状態を確認。

「暗室」という暗い部屋で光を使った検査をします

眼科には、暗幕で光を完全にさえぎった「絶対暗室」とうす暗い「半暗室」があり、多くの検査が半暗室で行われます。半暗室で行う検査の一つに、虹彩（目の茶色の部分）と瞳孔（黒目と呼ばれる部分）のどの部分に光が当たっているかを調べる眼位検査（ヒルシュベルグテスト）があります。日本人の多くは虹彩が茶色、瞳孔が黒色なので、明るい部屋で検査を行うよりも、暗室で光を当てたほうが色の区別がつきやすくなるのです。そのほかにも、瞳孔の大きさや光の当たる位置を確認する必要のある検査は、半暗室で行うのが一般的です。

しかし、小さい子どもは暗い部屋をこわがることがあります。そういうときは、明るい待合室で検査を行い、大まかな状態を調べながら検査に慣れてもらったり、保護者にだっこしてもらって検査をしたりします。

3歳児健康診査での視力検査

全国で実施される3歳児健康診査では視力検査が行われ、早期に治療や訓練を開始できるよう支援しています

日本では、全国の市区町村で「乳幼児健康診査」が実施されています。これは、子どもの心身の発育や健康状態を調べて、見過ごされがちな障がいや病気を早期に発見、予防したり、適切な支援や指導、治療へとつないだりするためのものです。どこの地域でも、1歳6か月と3歳のときには、必ず健康診査（健診）が行われます。

3歳児健診では視力検査も実施します。目の機能は9歳ごろまでに完成するため、健診によって早期に病気や障がい、発達の遅れを発見し、治療や訓練を開始することがだいじなのです。

とはいえ、3歳ではまだ検査にうまく対応できない子どももいるため、まずは1次検査として、配布された「字ひとつ視標」や「絵視標」を使って、0.5の視力があるかどうかを各家庭で調べてもらいます。また、「目を細めて見ますか」「頭を傾けたり、横目で見たりしますか」といった目に関する質問事項が記されたアンケートにも、保護者にあらかじめ回答してもらい、それらの結果を健診の際にもってきてもらいます。

家庭で0.5の視力が確認できなかった子どもや、アンケートに「気になることがある」と書かれていた子どもには、健診当日、眼科の医師や視能訓練士による2次検査を実施。病気や異常の疑われる子どもたちには、すみやかに病院や診療所での眼科精密検査を受診してもらい、早期治療へとつなげていくのです。

13:30

視能矯正外来での検査開始

子どもの検査で気をつけなければいけないことは?

絵視標を使った視力検査を受けられるようにするため、検査の方法や、そのために家庭で練習してきてもらうことを保護者に説明します。

子どもが病院や検査をきらいにならないよう、段階をふみます

この病院では、午前中の一般外来に来た患者さんの中で、ゆっくり時間をかけて検査をしたり、視能矯正の訓練を行ったりする必要があると判断された乳幼児は、午後の視能矯正外来に通ってもらうことになります。患者さん一人ひとりに担当の視能訓練士がつき、検査や診察の時間も長めに確保されます。

継続的に通院することになるので、小さな子どもの場合、子どもが病院や検査をきらいになってしまわないようにすることがだいじです。子どもが泣いて目を閉じてしまったり、指示をきいてくれなかったりすると、眼科の検査はうまく進めることができません。少しずつ段階をふみ、信頼関係をつくりながら検査をしていきます。最初のうちは、診察室に入ることさえいやがる子どももいますが、まずはいろいろ話しかけながら、待合室のソファなどで、できる検査だけをします。

? 子どもへの接し方は学校で習うの？

チトマスステレオテストという検査を行っているところ。特殊なレンズ（偏光レンズ）が入った眼鏡をかけて見ると、弱視や屈折異常がなければ、写真の虫や図形がうかび上がって見えます。

学校では教えてくれない子どもへのじょうずな接し方

視能矯正外来にはたくさんの子どもがやって来ますが、子どもへの接し方は視能訓練士になるための学校では教わりません。ですから、視能訓練士になりたてのときは、どうすればよいのかわからず、「ここを見て」と言っても見てもらえず、「これは何？」とたずねても答えてもらえないこともあります。しかし、先輩たちのまねをしながら毎日検査を重ねるうちに、うまく検査を進める方法がだんだんとわかってきます。

いそがしい一般外来では、患者さんと話をする時間はあまりありませんが、視能矯正外来では、保護者はもちろん、子どもにも検査や訓練のことを全部ていねいに説明します。じょうずに検査や訓練を進めていくためには、子どもとのコミュニケーションはとてもだいじです。試行錯誤をくり返しながら、じょうずな接し方を学んでいきます。

よく使う検査機器はどんなもの?

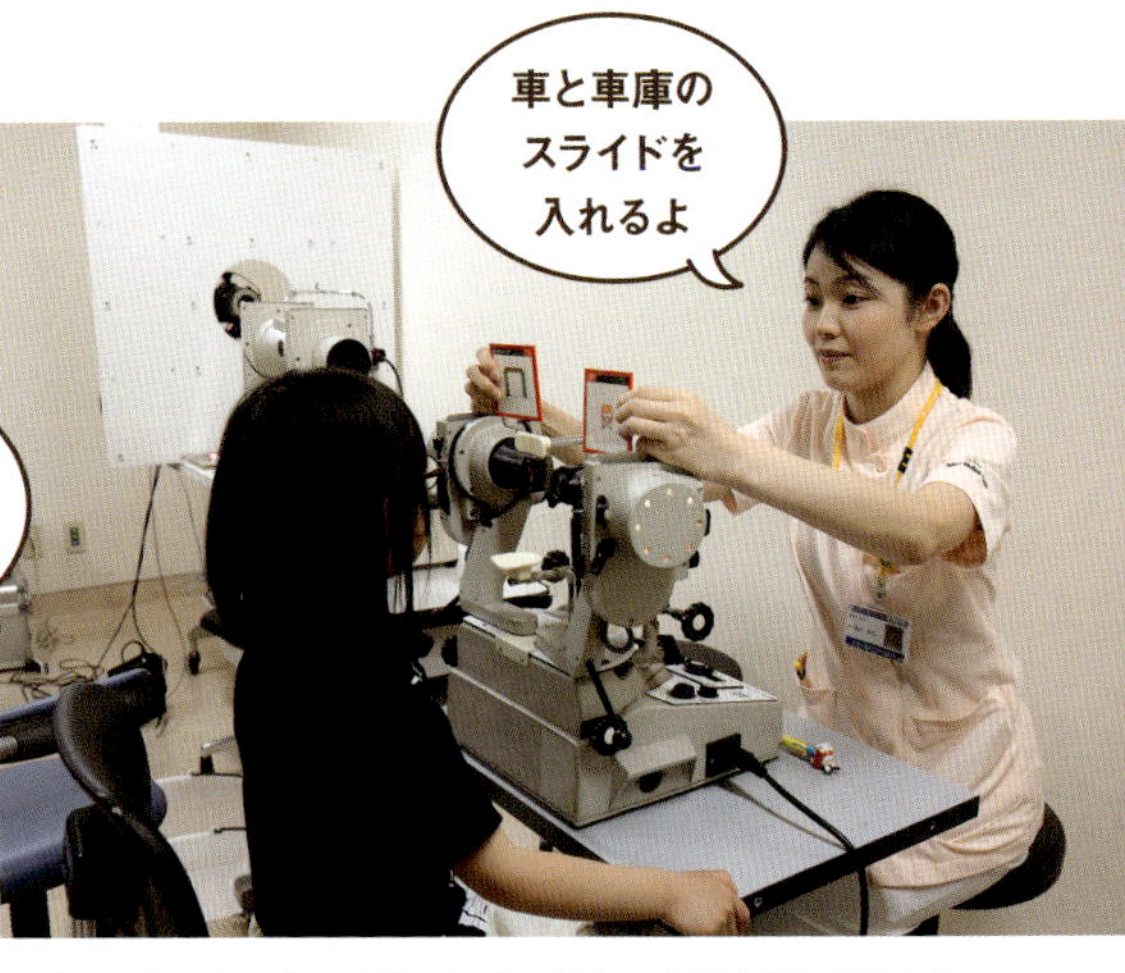

右目のほうに赤い車、左目のほうに緑色の車庫を入れることを説明し、まずは子どもに何が見えたかを教えてもらいます。

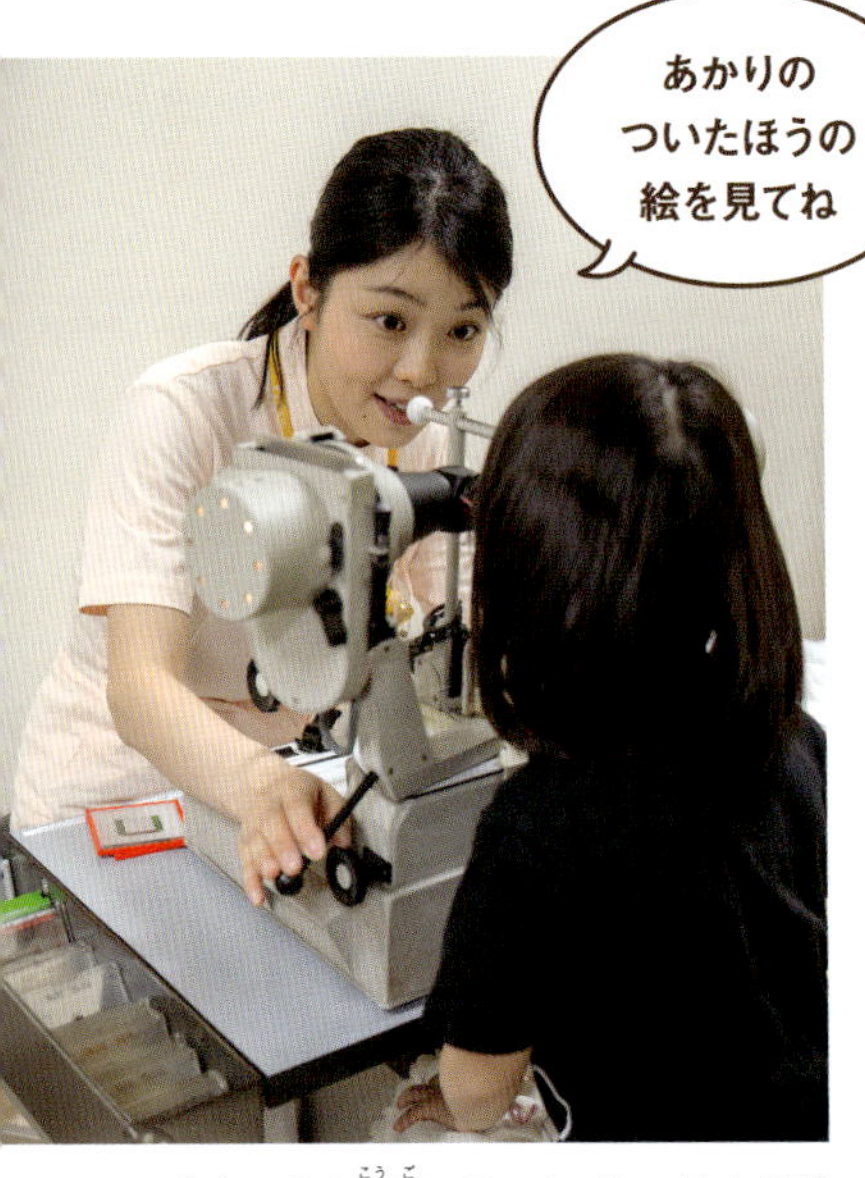

左右の絵を交互に見せながら、検査機器についているハンドルを動かすことで、斜視の角度を調べることができます。

スライドは、車と車庫のほかにも、2枚を重ねてネコのシルエットを完成させるものなど、いろいろな種類があります。

大型弱視鏡を使った検査は、子どもたちに人気です

視能矯正外来でよく使われる検査機器の一つに大型弱視鏡があります。大型弱視鏡は、眼位や両眼視機能（2つの目から得た情報を脳で一つにする力、ものの奥行きや遠近感、立体感を感じる力）などを調べる検査機器です。

大型弱視鏡を使って両眼視機能検査を行うときには、機器の右と左に異なる絵がかれたスライドを入れます。例えば、車と車庫を入れると、正常な目には「車庫に入った車」が見えます。しかし、両眼視機能がないと、車庫だけ、あるいは車だけが見えたり、斜視があれば、車が車庫からはみ出して見えたりします。また、機器についたハンドルを動かすことで、斜視の角度をはかることができます。

遊び感覚でとり組めるので、この検査を楽しみにしている子どもはたくさんいます。

医師はちがう検査をするの？

診察前に、検査の結果を医師に報告。検査を行うなかで気づいたことがあれば、その情報も共有しておきます。

医師もポケットから次々とかわいいペンをとり出して、子どもに見てもらう努力をします。視能訓練士も真剣に診察を見守ります。子どもの緊張をほぐすために声をかけることも。

診察では、視能訓練士が行った検査結果をもう一度確認します

視能訓練士は、患者さんに必要な検査をひととおり行い、診察の前にその結果を医師に提出します。そして、どんな症例の何歳の子どもか、これまでの経過、きょうの検査の結果を伝え、新たな訓練を始めるか、今の訓練を継続していくかなど、今後の方針を相談します。視能訓練士にとって、自分の考えを医師と直接話し合えるだいじな時間です。

そのあと、患者さんが診察室に呼ばれ、医師による診察が行われます。医師は、先ほど視能訓練士が行ったものと同じ眼位検査や屈折検査を診察室でもう一度行い、視能訓練士が行った検査のデータと見比べます。検査を行う人に対する子どもの緊張の度合いなどによって、検査の結果に差が出る場合があるからです。

医師は子どもや保護者、そして視能訓練士と話しながら、診察を進めていきます。

視能訓練ってどんなことをするの？

いやがらずにはってくれるかな？

子どもがアイパッチをいやがるのは、見えにくさよりも、目をかくすものを顔にはりつけることに原因があるようです。かわいいシールをはったり、絵をかいたりして使う人もいます。

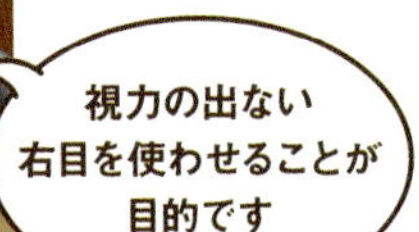

訓練の目的や方法を保護者にていねいに説明します。

まずは眼鏡をかけて鮮明な像をきちんと見ることから

弱視にはさまざまな種類があり、発症した時期によっても治療法は異なります。

屈折異常といって、網膜にピントの合った像を結ぶことができない場合は、まずは眼鏡をかけて、きちんとピントの合った像が見えるようにして、視力の発達をうながします。屈折の度数は成長とともに変化しますし、子どもは鼻が低くて大人よりも眼鏡がずれやすいので、定期的にチェックし、調整を行います。

眼鏡だけではあまり改善が見られない場合は、視力のよいほうの目をかくして、悪いほうの目を使うために、アイパッチを用いたトレーニングをすることもあります。アイパッチは、子どもの皮膚に炎症を起こしたり、精神的なストレスを与えたりするので、訓練中は保護者と連携して心身のケアに努めることが大切です。

子どもの目の発達

視力や両眼視機能は、9歳までにほぼ完成。
視能訓練はなるべく早期に開始することが大切です

生まれたばかりの赤ちゃんは、最初はあまり目が見えません。視力でいうと、0.02くらいで、目の前がぼんやりと見える程度です。そして2〜3か月くらいになるとお母さんの顔を見つめたり、ものを目で追うことができるようになったりと少しずつ発達して、1歳になるころ、やっと0.2前後になります。

その後はどんどん発達して、個人差はあるものの、3〜6歳ころまでには、多くの子どもの視力が1.0程度に達します。そして、9歳ころには大人の目と同じレベルになるといわれています。

ですから、視力の発達のためには、乳幼児期にきちんと視覚刺激を受け、ものをはっきりと正しく見る経験が必要です。強い遠視や乱視があったり、斜視があったりすると、正しい視覚刺激が起こらず、視力の発達がとどこおってしまいます。これを「弱視」といいます。

視力の発達をうながすためには、早めに治療を開始することが効果的です。そのため、3歳児健診では日本のほとんどの市区町村で視力検査も行われ、子どもに弱視がないかどうかを調べています(33ページ)。自治体によっては視能訓練士も参加して検査を行い、目に病気や障がいのある子ども、目の発達に遅れがある子どもたちを早期の治療や視能訓練の開始に結びつける働きをしています。

生まれてすぐ
ぼんやり見える程度

1歳
視力は0.2前後

3〜6歳
視力が1.0程度に達する

9歳
視力の発達が完了

？ 視能矯正は大人もするの？

まっすぐ前を見ていてくださいね

斜視の角度はどのくらいかな？

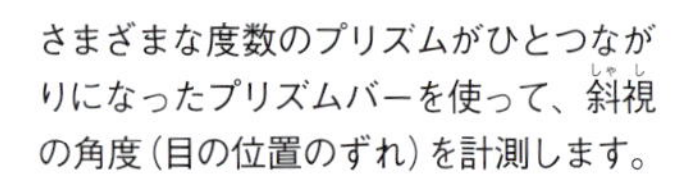

さまざまな度数のプリズムがひとつながりになったプリズムバーを使って、斜視の角度（目の位置のずれ）を計測します。

術前検査では、大型弱視鏡を使った検査も行い、斜視の状態をくわしく調べます。

眼鏡で治るものもありますが治らない斜視は手術をします

斜視は弱視とちがって、大人になってからでも治療や矯正をすることが可能で、治療の効果が出ない場合には、手術を受けることもできます。斜視には見え方の問題だけでなく、片方の目がちがう方向を向いてしまうという外見的な問題も生じるため、手術を受ける大人の患者さんは少なくありません。

視能訓練士は手術の1か月前に患者さんに「術前検査」を行い、当日は当番制で視能訓練士が1人、手術室に入ります。

手術時間は大人なら20～30分、子どもでは1時間くらいで、一日に十数人の手術が行われます。視能訓練士は、手術に直接かかわることはありませんが、患者さんの確認をし、カルテを並べ、眼鏡の準備をするなどの仕事をするため、手術室につめています。手が空いたときは、モニターに映る手術のようすを見学して勉強することもできます。

ある日の仕事

勉強会

視能訓練士になってからも勉強するの？

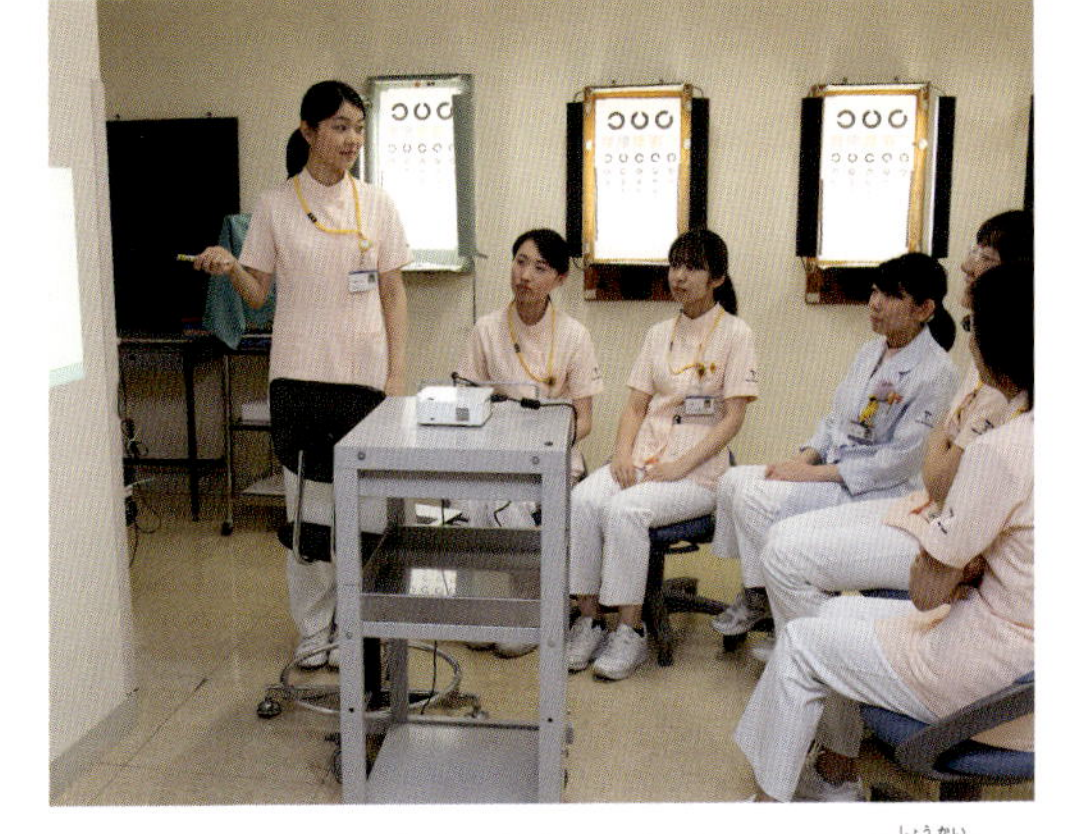

学会に出席した人がトピックスを紹介したり、先輩の視能訓練士が挙げた症例についてみんなで考えたり、眼科検査に関する英語の参考書を訳しながら読んだりもします。

17:30

終業

おつかれさまでした！

勉強会やカンファレンスなどで、たくさんのことを学びます

外来が終わったら、片づけをして、ふだんは17時すぎに退勤しますが、毎週水曜日の夕方には、視能訓練士の勉強会が開かれます。発表や進行は当番制で順番に担当。新人の間はみんな緊張しますが、勉強会は先輩たちからさまざまな仕事のやり方やくふう、体験談などを聞くこともできる有意義な時間です。ここで多くのことを学んでいます。

このほかに、眼科の医師とのカンファレンスも月に1回あります。日本視能訓練士協会による生涯学習制度のプログラムに参加して、定期的に講習を受けたりもしています。

学生にとって、視能訓練士になることは一つのゴールですが、実際は視能訓練士として働き始めたところがスタート地点です。学べば学ぶほど興味がつきない「目」そして「見ること」に関する勉強は、これからもずっと続いていきます。

INTERVIEW 1

眼科クリニックで働く 視能訓練士

町田 美月さん
お茶の水・井上眼科クリニック
診療技術部 視機能検査課
視能訓練士

視力、
よくなって
いるみたい

弱視の訓練で通っている子どもには、訓練の効果が出ているかどうかを確かめるための検査が不可欠です。

いっしょの
向きにしてね

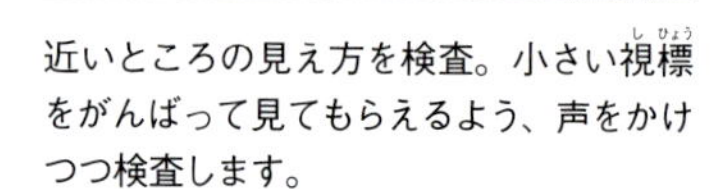

近いところの見え方を検査。小さい視標をがんばって見てもらえるよう、声をかけつつ検査します。

まぶしさを
減らすことができる
眼鏡です

眼鏡での見え方を検査しています。目の病気などでまぶしさを強く感じてしまう人には、まぶしさの原因となる光線だけをさえぎることができる遮光眼鏡を紹介します。

Q1 どんな仕事をしているのですか？

来院した患者さんの検査を行っています。私が勤務する眼科クリニックにはさまざまな専門外来があり、ローテーションで一般外来や小児外来を担当したり、ロービジョンケアを行ったりしています。検査をするときは、患者さんのようすや体調、体勢に気を配ることがだいじです。子どもを専門に診る小児外来では、検査に集中できない子どもや、質問にうまく答えられない子どももいます。子どものようすをよく観察して、やる気をもって検査ができるよう、いつも笑顔で誠意をもって話しかけ、診断に必要なデータがとれるよう検査をしています。

Q2 おもしろいところややりがいは？

眼鏡処方の検査に、特にやりがいを感じます。眼鏡にはふつうの眼鏡以外にも、まぶしさを軽減する遮光眼鏡、斜視の患者さんが使うプリズム眼鏡など、用途によっていろいろなものがあります。患者さんがどうして新しい眼鏡をつくりたいのか、何に不便を感じているのか、何を見たいのか、しっかりときかないと、適切な眼鏡はつくれません。患者さんに満足してもらえる眼鏡を提案でき、「あなたに検査してもらえてよかった」と言ってもらえたときはとてもうれしく感じます。

Q3 なぜこの仕事に就いたのですか？

2歳のときに弱視が見つかり、小学校高学年まで眼科に通院していて、その際に視能訓練士という職業を知りました。当時は病院の雰囲気がきらいでしたが、いつもはげましながら検査をしてくれるやさしいお姉さんは好きでした。中学生のとき、将来は技術をもって人の役に立つ仕事がしたいと考え、思いうかんだのが視能訓練士です。現在の職場には、視能訓練士の先輩がたくさんいて、いくつもの専門外来があります。小児外来もあるので、子どもとかかわりながら検査や訓練の技術を身につけたいと思い、この職場を選びました。

病院と眼科クリニックで仕事の内容はちがうの？

病院にいろいろな種類があるように、眼科クリニックも施設ごとに規模の大きさや診療内容が異なります。規模の大きな眼科クリニックでは、小児外来、緑内障外来、ドライアイ外来など、多様な専門外来を設けている場合もあり、病院とかわらないくらいさまざまな業務を行うことになります。施設の種類よりも、そこでの診療内容によって、仕事の内容がちがってくるといえます。

INTERVIEW 2

ロービジョンケアにたずさわる視能訓練士

丸林 彩子さん
埼玉医科大学総合医療センター
視能訓練士

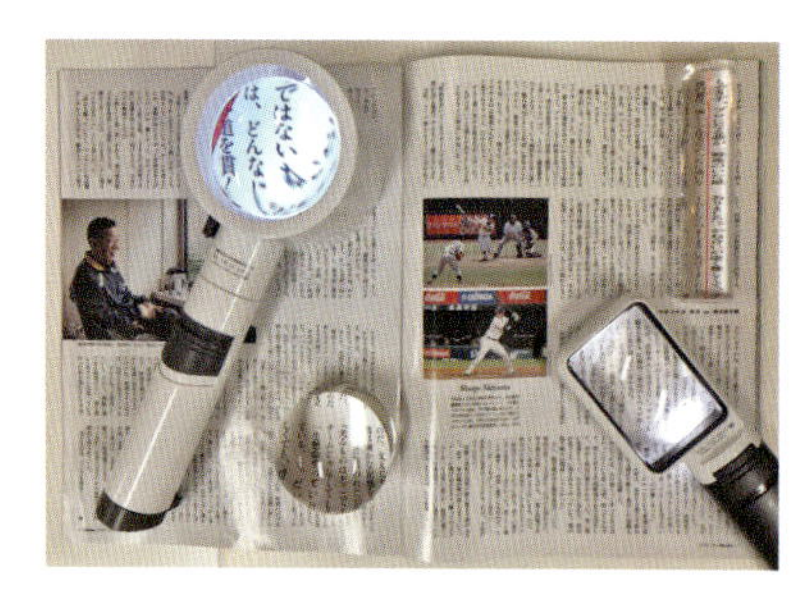

文字やものを拡大して見ることができる拡大鏡。拡大する倍率には種類があり、手でもって使うもの、置いて使うもの、眼鏡につけて使うものなど、形もいろいろです。

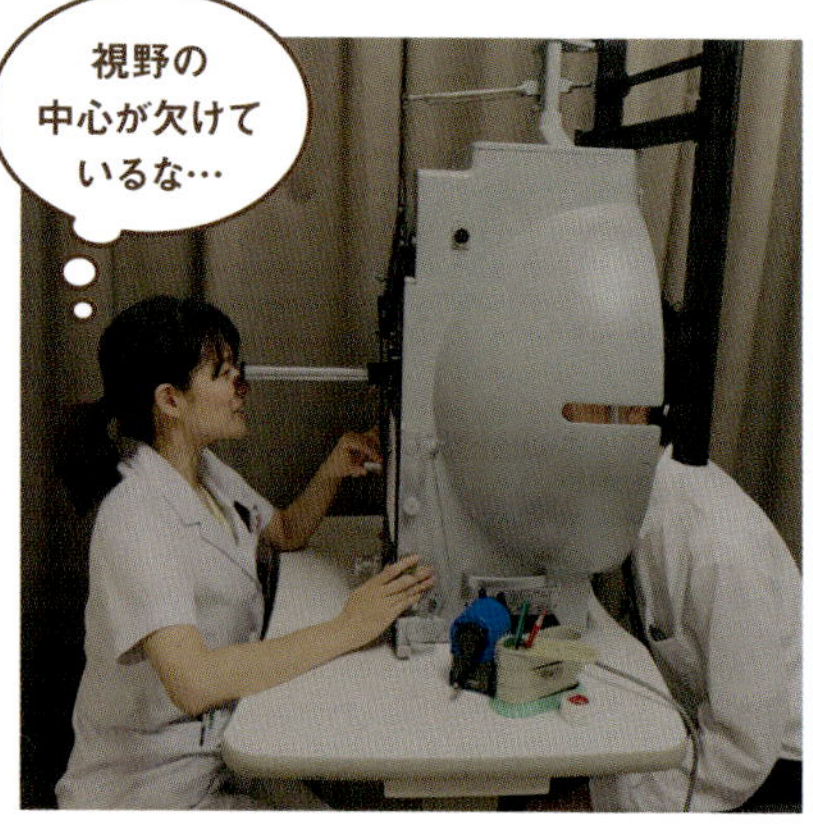

見える範囲を調べる視野検査のようす。ロービジョンケアでは、検査によって、どのように見えているのかという「見え方」を調べ、さまざまなくふうによって少しでも日常生活での不便さを解消できるよう支援します。

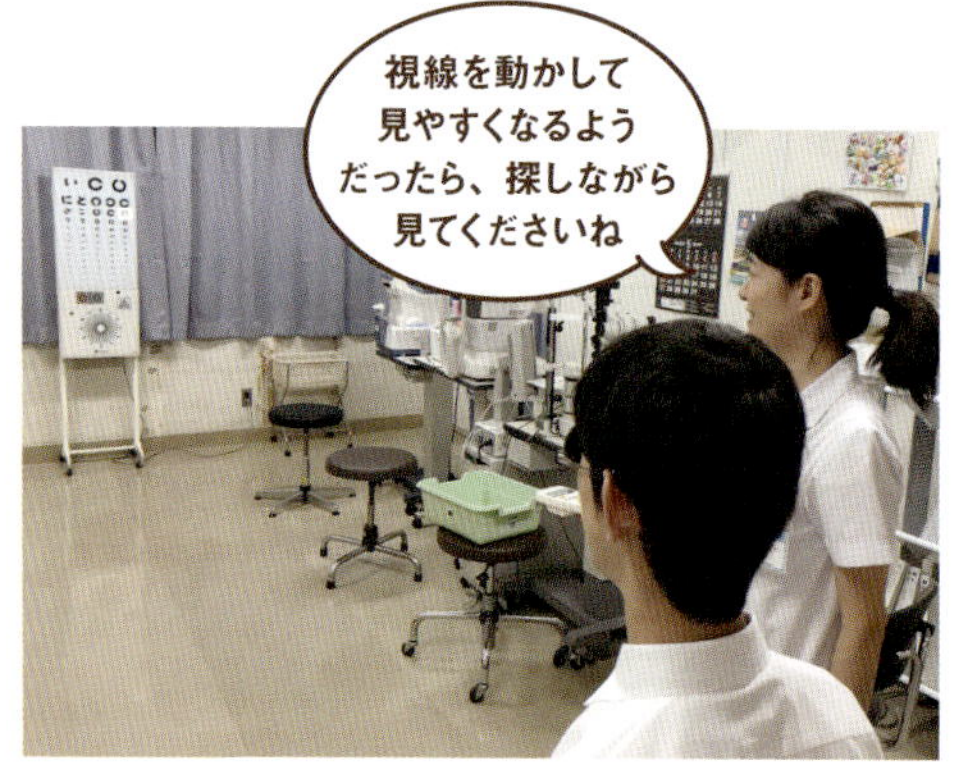

ごく一般的な視力検査を行うなかで患者さんの見えづらさを察し、ロービジョンケアへとつなぐこともあります。

どんな仕事をしているのですか?

大学病院の眼科で、さまざまな検査や訓練を担当しています。また、治療したり眼鏡をかけたりしてもそれ以上見る機能が改善されないロービジョンの患者さんを対象に、ロービジョンケアという視覚のリハビリテーションも行っています。ロービジョンケアとは、目の病気など何らかの原因によって視力や視野に障がいをもつ人が、今ある目の機能を最大限にいかして、できるだけ快適に生活できるように支援することです。視覚補助具*を患者さんのニーズに合わせて選定するほか、視力や視野を有効に使うためのアドバイスもします。

おもしろいところややりがいは?

ロービジョンケアのやりがいは、患者さんのことを自分のことのように近く感じられるところです。見えにくくなって、大好きだった新聞や本を読むことをあきらめていた人が、「この方法ならまたできるかも!」と思えた瞬間に立ち会えることが、心からうれしいです。患者さんは、自信がつくと、「あれもできるかな」「これもできるかもしれない」と考えるようになって、いろいろな要望を出してくれるので、こちらもアイデアの引き出しを増やせるよう努力することに、やりがいを感じます。

Q3 なぜこの仕事に就いたのですか?

高校生のころ、進学を考えていたときに、視能訓練士という仕事を先生に教えてもらいました。初めて耳にする仕事で、身の回りにも視能訓練士はいなかったので好奇心をくすぐられましたし、人と接する仕事であることにも魅力を感じました。養成校では初めて学ぶことが多く、新鮮でした。就職する際にこだわったのは、養成校で学んだことをできるだけ多く実践したいということと、いろいろな職種といっしょにチームの一員として働きたいということ。これらの2つのこだわりを実現できる場所を求めて、現在の職場に就職しました。

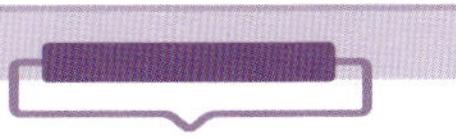

視覚補助具ってどんなもの?

ロービジョンの人が、今ある目の機能を有効活用するための補助具をまとめて「視覚補助具」といいます。拡大鏡、遮光眼鏡などさまざまなものがあり、最近ではスマートフォンやタブレット端末の利用も進んでいます。視覚補助具を選ぶ際は、患者さんの見えづらさの状態を正確に検査し、生活のなかで何が見えないと困るのか、何を見たいのか、訴えや要望をくみとることが大切です。

INTERVIEW 3

視能訓練士のスキルをいかして眼科関連企業で働く人

原 大樹さん
日本アルコン株式会社
サージカル事業本部 営業統括部

医療職の資格をもっている人ばかりではありませんが、研修などで製品についての知識を高めています。

ここで検査した結果が手術で使われます

製品の操作方法を、ほかの社員に説明しているところ。視能訓練士としての経験や知識があるので、製品の機能などもスムーズに理解できます。

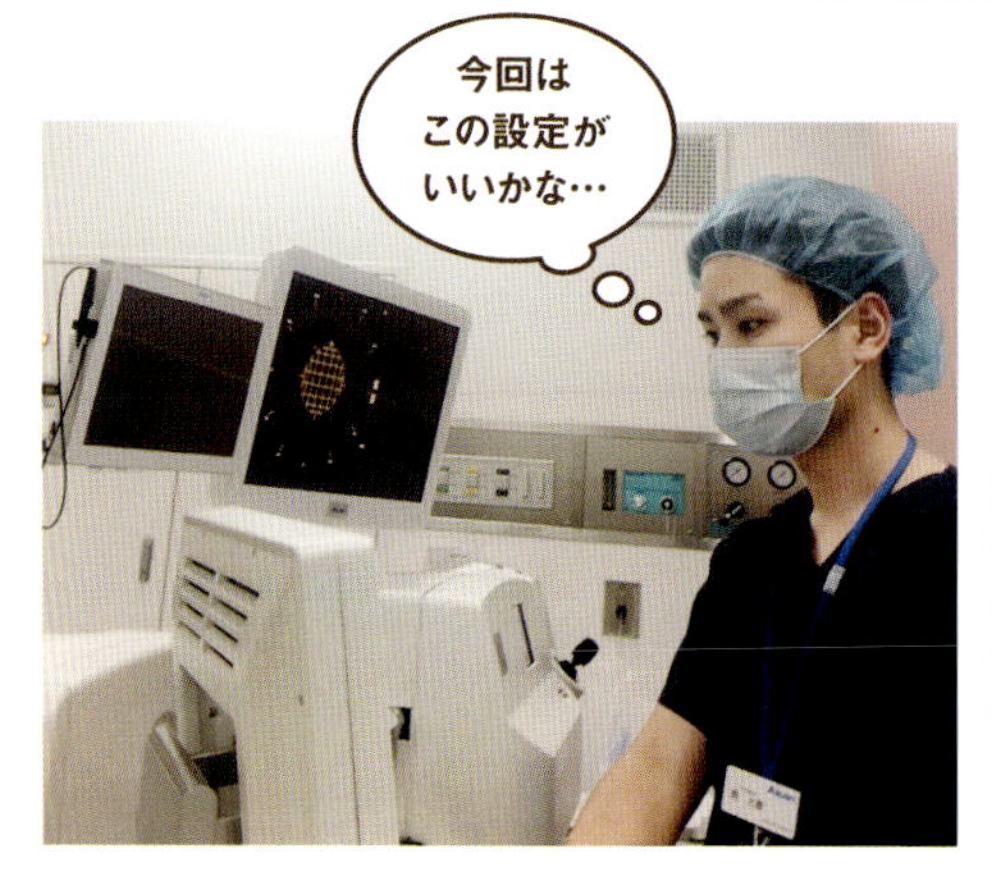

医師やそのほかの医療職に、機器を適切に使用してもらえるようにするのもだいじな仕事。手術が始まる前に、医師に機器の設定について提案するため、手術室に入って準備をすることもあります。

Q1 どんな仕事をしているのですか?

現在は、眼科関連企業に勤務し、医療機器を販売する営業職として働いています。眼科の最新の医療機器を医師やそのほかの医療職に紹介して、販売する仕事です。患者さんと直接ふれ合うことがないのが、病院での仕事とは大きくちがいます。ただ販売するだけではなく、自社の製品を導入した病院やクリニックに対するサポートもしています。医師やそのほかの医療職が、新しい機器を業務のなかで不安なく使用できるように、製品の使用方法を説明したり、実際に機器を使用して使い方を練習してもらったりします。

Q2 おもしろいところややりがいは?

自分が紹介して導入が決まった製品を医師や視能訓練士などが使用して、「検査がやりやすくなった」「よりくわしく調べられるようになった」といったよい評価を伝えてくれたときには、達成感を感じます。また、「原さんがいてくれないと……」と、会社の仲間などにたよりにしてもらえると、ますますがんばろうという気持ちになります。現在の職場では、業務で英語を使うこともしばしばあるので、以前、海外で視能訓練士として働いた経験*も役に立ち、その点にもやりがいを感じます。

Q3 なぜこの仕事に就いたのですか?

病院で働く職業に漠然とあこがれていて、高校生のときに進路を決める際に、視能訓練士という職業を初めて知りました。同じころ、生物の授業で眼球の構造について勉強して、わずか2cmほどの眼球に多くの機能があり、人間の感覚のなかで最も多くの情報を得られるのが視覚であるということを学びました。そんな大切な目にたずさわる職業なら、やりがいがあるにちがいないと視能訓練士を志し、資格を取得。国内や海外で視能訓練士として経験を積んだのち、英語と視能訓練士の資格、両方をいかせる現在の職場に就職しました。

海外で視能訓練士として働くにはどうしたらいいの?

海外で医療にかかわる仕事をする場合は、その国の法律や資格制度に従わなければなりません。どんな仕事にどんな資格が必要かという決まりは、国ごとにちがいます。そのため、日本の視能訓練士の資格が、そのまま海外でも通用するわけではないのです。語学力を身につけ、海外で学校に入ったり試験を受けたりして、その国での専門資格を得れば、眼科医療にたずさわることができます。

もっと！

教えて！ 視能訓練士さん

Q1
視能訓練士になってよかったなと思うことを教えて！

A 検査を終えたとき、患者さんに「ありがとう」と言ってもらえると、うれしいものです。歩くときに手をそえてサポートした、体調がすぐれない患者さんに声をかけたなど、ささいなことにも感謝の言葉をもらう場面が多くあります。日々、患者さんと接する仕事だからこそ、患者さんとの距離が近く、元気を分けてもらえると感じています。

（20代・男性）

A 外来に訪れる子どもたちの成長を見るときが、いちばんの喜びです。弱視で視力の出なかった子どもたちが、眼鏡をかけたり訓練をしたりすることで、視力は成長していきます。以前は見えなかった小さな視標が見えたことに喜び、やる気いっぱいで検査を受けている子どもの姿には胸を打たれます。なかなか視力が成長しない場合もあり、悩むこともありますが、この仕事を選んでよかったです。

（20代・女性）

Q2
視能訓練士の仕事で、大変なこと、苦労したことを教えて！

A 子どもたちの検査は非常に難しいです。一般的な視力検査ができない年齢の小さい子どもには、動物のイラストや、しま模様のカードを見せて検査をします。話しながら、ゲームのように楽しく検査ができるときもあれば、集中できないときもありますし、病院で検査をするということ自体がこわくて、泣き出してしまう子もいます。一人ひとりの子どもに合わせた検査方法を選択し、時間をかけなくても正確に検査ができるように心がけています。

（30代・女性）

A 大変なことではありませんが、いちばん心苦しいのは、患者さんの待ち時間が長くなってしまうことです。予約の患者さんが多いときなどは、どんなにがんばっても検査がはかどらず、患者さんを呼ぼうと待合室をのぞくたびに、待ちつかれた患者さんと目が合ってしまい、もうしわけない気持ちになります。患者さんのためには、検査の正確さはもちろん、スピードも大切だと思います。

（40代・女性）

Part 2

目指せ視能訓練士！どうやったらなれるの？

視能訓練士になるには、どんなルートがあるの？

必要な知識や技能を学び、視能訓練士国家試験を受験

視能訓練士になるには、視能訓練士国家試験に合格しなければなりません。そのためにはまず、視能訓練士養成校（文部科学大臣が指定した学校または都道府県知事が指定した視能訓練士養成所）で専門的な知識や技能を学ぶ必要があります。

視能訓練士になるためのおもなルートは、大きくわけて2つあります。一つは、高等学校を卒業して視能訓練士養成校に入り、3年以上学ぶコース。もう一つは、養成校以外の大学や短期大学、保育士や看護師の養成校で必要な科目を修めたあとで視能訓練士養成校に入り、1年以上学ぶコースです。

視能訓練士国家試験は毎年2月に行われ、養成校を卒業した人、卒業する予定の人が受験できます。また、外国の視能訓練に関する学校（養成所）を卒業した人や、外国で視能訓練士の免許に相当する免許を取得した人も、厚生労働大臣に認定されれば、国家試験を受験することができます。

視能訓練士国家試験の合格率は90％を超えることが多く、養成校在学中にしっかり勉強していれば、合格の可能性は高いといえるでしょう。

視能訓練士養成校には、年齢を重ねてから入学することもできます。高等学校や大学を卒業していったん社会に出たあとで、視能訓練士を目指すことも可能です。

中学校卒業

高等学校

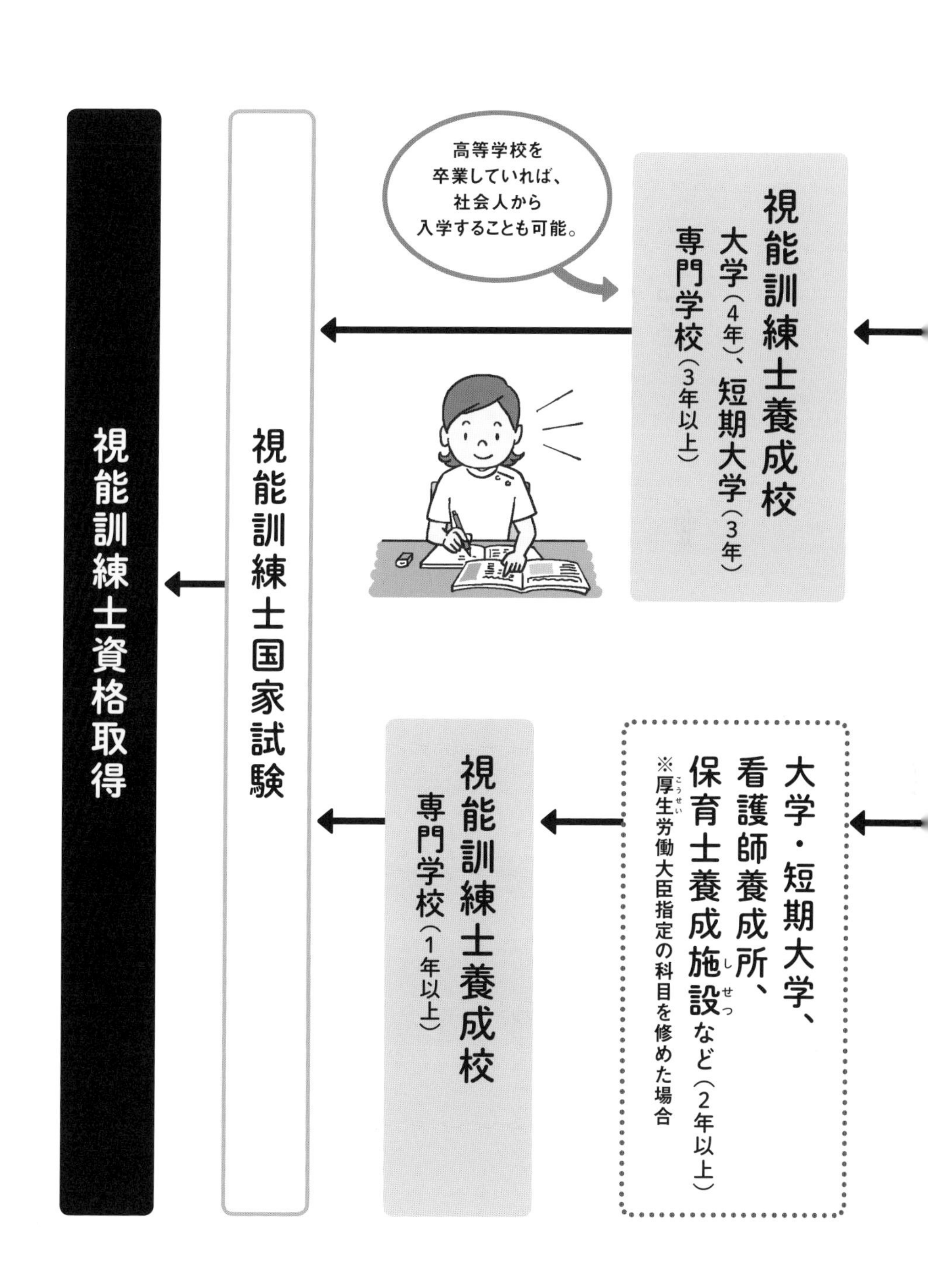
視能訓練士養成校
大学（4年）、短期大学（3年）
専門学校（3年以上）
高等学校を卒業していれば、社会人から入学することも可能。
大学・短期大学、看護師養成所、保育士養成施設など（2年以上）
※厚生労働大臣指定の科目を修めた場合
視能訓練士養成校
専門学校（1年以上）
視能訓練士国家試験
視能訓練士資格取得

? いろんな学校があるみたいだけど、ちがいは何？

視能訓練士養成校の種類と数

地域	大学	短期大学	専門学校
北海道	0校	0校	2校
東北	1校	0校	2校
関東・甲信越	3校	0校	3校
東京	1校	0校	3校
東海・北陸	1校	1校	1校
近畿	1校	0校	5校
中国・四国	1校	0校	1校
九州	1校	0校	3校
計	**9校**	**1校**	**20校**

※2018年時点で新入生を募集していない学校をふくみます。

早く資格を取得できる専門学校、幅広い知見を得られる大学

視能訓練士養成校は全国に30校あります。最も多いのは専門学校で20校。短期大学は1校、大学は9校です（2017年現在）。

大半の専門学校と短期大学は3年制なので、大学よりも1年早く資格が取得できるのが魅力です。視能訓練士に必要な知識と技術を集中的に学びます。

大学は医療系の学部の専攻のひとつとして位置づけられていることが多く、4年間でじっくりと学べて、専門分野に限らず幅広い知見を得ることができます。

1年制の専門学校は、大学などで2年以上学び、指定の科目を修めた人が入学できる養成校ですが、全国に4校とわずかです。

専門科目以外も幅広く学び、応用力を身につける

大学 （4年）

医療系の学部の専攻のひとつとして位置づけられている場合が多いため、視能訓練士になるための専門分野だけでなく、幅広く学べるのが特徴です。医学部や大学病院と連携した授業がある学校も。卒業後、大学院に進んで、さらに学びを深める道も開けています。

専門分野を中心に学び、いちはやく資格を取得

専門学校 （3年以上）
短期大学 （3年）

視能訓練士になるために必要な知識や技術を中心に学びます。多くの学校で実技に力を入れたカリキュラムが組まれています。体験型のプログラムがある、現場での経験が豊富な講師が教えてくれるなど、各校がさまざまな特色を打ち出しています。

● **大学などで指定の科目を修めた人が入る学校**

実践的な技術を短期で習得

専門学校 （1年以上）

養成校以外の大学や短期大学、看護師や保育士の養成校などで2年以上学び、指定の科目（外国語、心理学、保健体育、生物学、物理学など）を修めた人が入学できます。短期間で専門分野のみを集中的に学びます。

新たに設置される「専門職大学」

2019年度から4年制の「専門職大学」という新しいタイプの学校ができます。大学レベルの知識と、社会に出て役立つスキルを同時に身につけることができる教育機関として注目されています。卒業までに学ぶべき科目のおよそ3～4割以上が実習などで、実践的な教育を行うしくみとなっています。視能訓練士を養成する専門学校のなかにも、この専門職大学に移行する学校があります。

? 視能訓練士の学校って、どんなところ?

視能訓練士養成校の教育内容

基礎分野

- 科学的思考の基盤
- 人間と生活

専門基礎分野

- 人体の構造と機能及び心身の発達
- 疾病と障害の成り立ち及び回復過程の促進
- 視覚機能の基礎と検査機器
- 保健医療福祉と視能障害のリハビリテーションの理念

専門分野

- 基礎視能矯正学
- 視能検査学
- 視能障害学
- 視能訓練学
- 臨地実習

昭和四十六年文部省・厚生省令第二号「視能訓練士学校養成所指定規則」より

視能訓練士として必要な知識と技能を身につけます

視能訓練士養成校の大まかな教育内容は法令で定められています。どの学校でも、視能訓練士になるために必要な科目のすべてを学ぶことができるようになっているのです。

目の検査や矯正、訓練に関する専門分野だけでなく、あらゆる学びの基礎となる科学的なものの考え方や、人体の構造と働き、病気や障がいの内容とその回復、福祉やリハビリテーションのあり方など、幅広く勉強します。必ず学ぶべき内容に加えて、独自の授業や実習を設定している学校もあります。

なお、1年制の養成校では、基礎分野にあたる科目をすでに修めた人が対象なので、専門基礎分野と専門分野を集中的に学びます。

学園祭

運動会

学科の交流会

写真提供・取材協力：国際医療福祉大学

ある一年のスケジュール

4月	入学式(1年次) 前期授業開始
5月	運動会
6月	球技大会
7月	前期試験
8月	夏期休暇開始 関連職種連携実習／実習報告会 海外研修
9月	後期授業開始
10月	大学祭
12月	冬期休暇開始 国際交流親善パーティー
1月	後期試験 海外研修
2月	視能訓練士国家試験(卒業年次) 海外研修
3月	春期休暇開始 学位記授与式(卒業年次)

学生生活を楽しむことで、コミュニケーション力をアップ！

学ぶべき内容はもりだくさんで、レポート提出、実習、試験などもあり、いそがしい学生生活ですが、運動会や学園祭などの楽しい行事もあります。学校によっては、学生が新入生歓迎会などのイベントを自主的に企画することも。サークル活動や行事を通して、学年を超えたつながりを深めれば、日々の勉強の仕方や将来の進路などを先輩に相談したりもできます。複数の学科がある学校なら、他職種を目指して勉強する学生と交流する機会もあるでしょう。

また、地域の介護施設や保育園などを訪問して目のしくみについて説明したり、検査を体験してもらったりする活動がある学校、海外研修や留学生との国際交流がさかんな学校などもあります。さまざまな経験を重ねて、視能訓練士に必要なコミュニケーション力をみがいていきましょう。

学校ではどんな授業が行われているの？

大学1年生のAさんの一週間の時間割

前期　　※印は選択科目。

	月	火	水	木	金
1限目			視機能概論Ⅰ（基礎）		ドイツ語※
2限目		英語	英語	物理学	
3限目	解剖学Ⅰ（運動器系・内臓器系）	手話入門※	大学入門講座Ⅰ（基礎）		
4限目	数学	生理学Ⅰ（植物性機能）	英語		
5限目	コミュニケーション概論※	生物学		心理学	スペイン語※

● 視機能概論

目の構造や役割、視能訓練士の仕事内容や医療現場での位置づけなどを学びます。

● 生理学

身体の機能について、高校の生物よりもくわしく学びます。専門教育の基礎となる科目の一つです。

● 物理学

目の見え方や、眼科の検査機器のしくみを理解するためには、物理の知識が欠かせません。

● 心理学

見え方と心の内面には深い関係があります。患者さんと接するうえでも心理学の知識が役立ちます。

目のことだけではなく、関連する知識も学びます

大まかな学習内容は共通ですが、実際に行われる授業の内容や卒業までのカリキュラムは、学校ごとに異なります。

1年次ではまず、視能訓練士の専門分野を学ぶために必要な知識を中心に学習し、学びの土台をつくります。目の構造を理解するため、動物の眼球を用いた解剖実習を行う学校もあります。

2年次は、目の機能や病気、検査法などの基本的な専門知識を学びます。修得した知識をいかして行う実習もスタート。学年が進むにつれて授業の内容はより専門的になり、検査機器の特性や操作法、検査の手法や意義などを深くほり下げていきます。

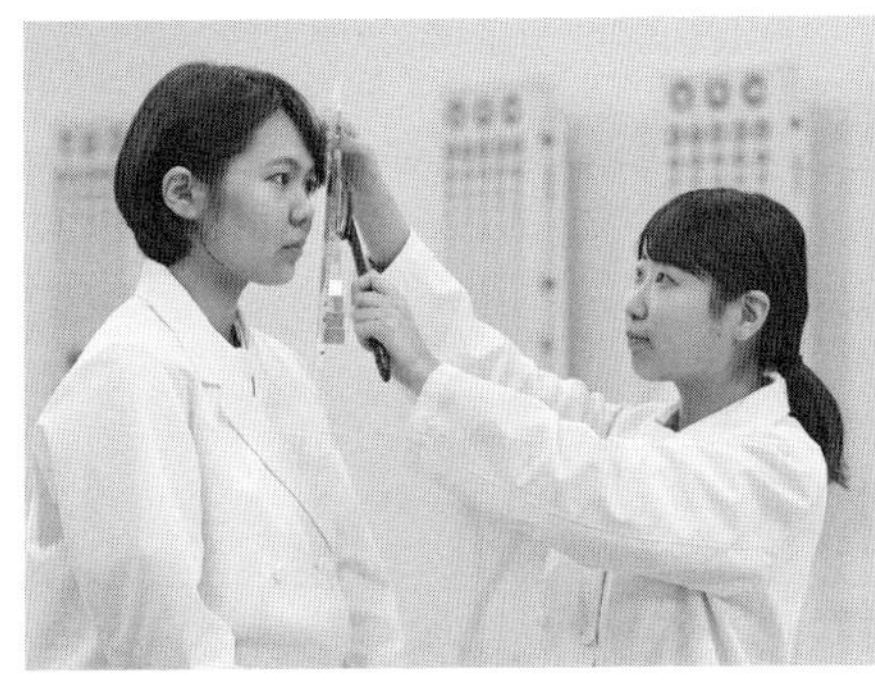

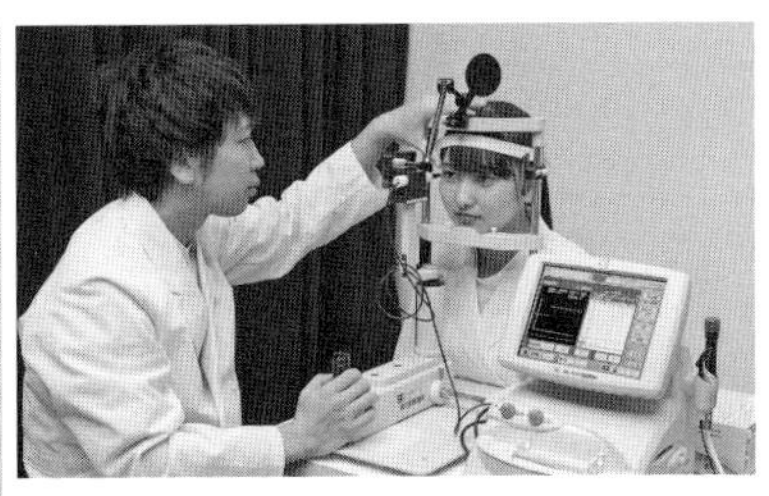

現場で使われるのと同様の検査機器を使い、学生同士で検査をし合うなどして、臨地実習に向けて実践的な技術を身につけていきます。

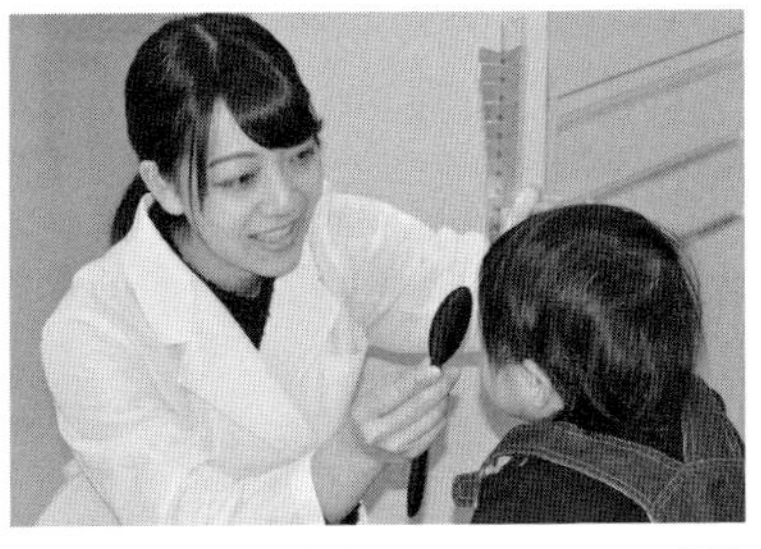

幼稚園など近隣の施設に協力してもらい、検診の実習を行うこともあります。

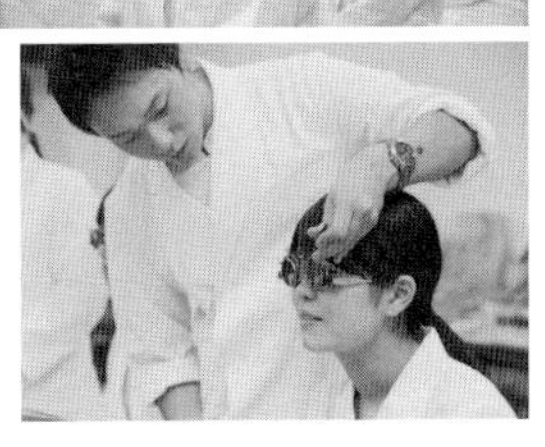

視力検査は視能訓練士の基本的業務。基本の技術をくり返し何度も実習します。

写真提供・取材協力：国際医療福祉大学

臨地実習は学びの総まとめ。学校で学んだ知識や技術を実践

3年制の学校でも4年制の学校でも、最終学年は「臨地実習」が中心になります。臨地実習とは、現場に出向いて、実際に患者さんと接する本格的な実習のことです。複数の実習先で、10数週間ほど行われます。

実習先はおもに病院や診療所の眼科です。現場の視能訓練士や眼科医に指導を受けながら、検査や訓練を実施。実践を通して、眼科医療にかかわる一員としての責任感や自覚を養います。学校によっては、医療施設だけでなく、保育園やリハビリテーション施設などでも臨地実習を行う場合があります。

最終学年では、国家試験対策の授業や模擬試験、就職活動、自分で設定したテーマについて調べてまとめる卒業研究にもとり組むことになります。とてもいそがしい時期ですが、「学生生活の中でいちばん充実していた」とふり返る人も多いようです。

気になる学費は、どのくらいかかるの？

学費と入学金の目安

学校の種類	年間の学費 （授業料、実習費、施設費など）	入学金
大学	約130万～160万円	約20～35万円
短期大学	約100万円	約20万円
専門学校	約90万～145万円	約10万～30万円

このほかに、教科書代なども必要です。

奨学金の種類

- 民間団体の奨学金
- 学校の奨学金
- 自治体の奨学金
- 病院などの奨学金

大学と専門学校で差があります。授業料以外に実習費なども必要

視能訓練士養成校はすべて私立で、学校の種類にかかわらず1年間に100万円前後の学費がかかります。専門学校や短期大学は大学より1年間少ないぶん、卒業までにかかる総額も少なくなります。授業料のほかに、実習費や施設費などが別途かかる場合がほとんどなので、よく確認しましょう。

視能訓練士の養成校はほかの医療職の養成校と比べて数が少ないので、遠方に通う場合は、通学の交通費やひとり暮らしのための費用なども考慮する必要があります。

学校、民間団体、自治体の奨学金のほか、病院などが独自に設けている奨学金もあるので、検討してみるとよいでしょう。

？ 視能訓練士の学校の入学試験は、難しいの？

入学試験の内容はさまざま。面接試験を課す学校も

入学試験の難易度は学校によってさまざまで、試験科目も学校によって異なります。

大学の場合、国語や英語が必修の場合がありますが、ほかはいくつかの科目から選んで受験する形式が多くなっています。受験科目は1～3科目程度です。センター試験を利用して受験できる学校もあります。

専門学校は、書類選考と面接試験に加えて、1～2科目の筆記試験や小論文（作文）を課す場合が多くなっています。面接試験では、なぜ視能訓練士になりたいのか、なぜその学校を選んだのかを自分の言葉で話すことがだいじです。自分なりの考えをまとめておきましょう。

視能訓練士養成校 一般入試の試験科目の例

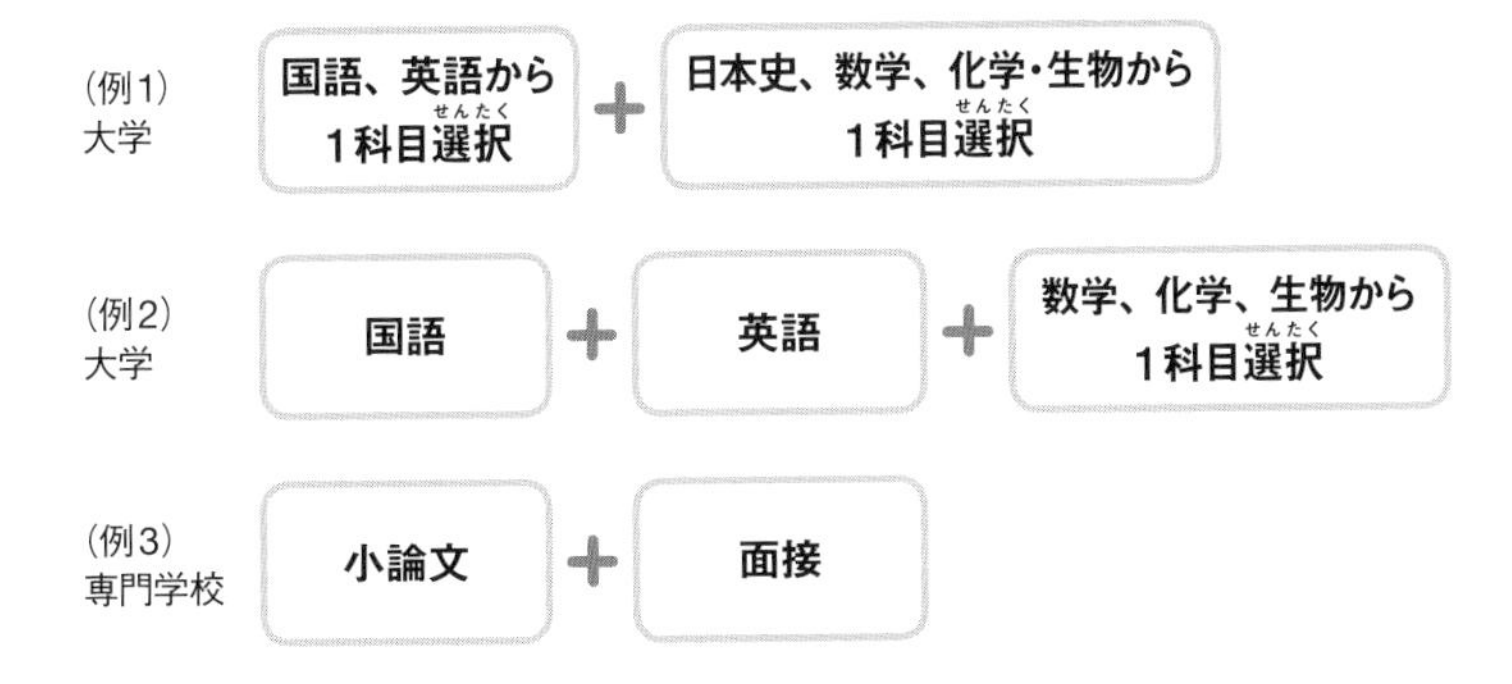

推薦入試の種類

一般推薦	学業成績など大学が示す条件を満たす人が、高等学校の校長の推薦を得て出願。どの高等学校からでも出願できる。
指定校推薦	大学が指定した特定の高等学校に限って募集がある。指定を受けている学校の生徒で、大学が示す条件を満たしている人が出願可能。
自己推薦	受験生自身が、自分の能力や打ちこんできたことなどをアピールして、出願する。特別な才能や得意分野がある人が有利。
AO入試	受験生自身が出願する点は自己推薦と同じだが、能力や実績よりも、人物、適性や志望理由などを重視した選抜が行われる。

視能訓練士に向いているのはどんな人？

向いている人の特徴

人とかかわるのが好き

眼科には、赤ちゃんから高齢者まで幅広い年齢の人がやってきます。検査や訓練についてわかりやすく説明したり、患者さんに見え方を伝えてもらったりするためには、接しやすい存在であることが大切です。

正確さ、根気強さがある

視能訓練士が行う検査の結果は、医師が診断をする際の判断材料になるため、検査の正確性が何より大切です。また、矯正訓練やリハビリテーションは長期にわたることもあるので、根気強い人にも向いているといえます。

機械をあつかうのが得意

視能訓練士はさまざまな検査機器を使用するため、機械のあつかいが得意な人に向いているといえます。最新の検査機器について積極的に学ぼうとする探究心や好奇心も求められます。

コミュニケーション能力やチームワークが求められる仕事

目にかかわる検査は赤ちゃんから高齢者まで、いろいろな人が対象になります。検査は「どのように見えるか」を患者さんにたずねながら行うことが多いので、話しやすい雰囲気をつくり出せることが大切です。視能を回復させる訓練を担当するときにも、患者さんと向き合い、コミュニケーションをとりながら進めていきます。

また、視能訓練士の職場は、眼科の診療所や病院などです。医師や看護師、ほかの医療職など、いろいろな人と協力して仕事を行います。円滑な人間関係を築き、チーム医療の一員として専門性を発揮することが求められます。

中学校・高等学校でやっておくといいことはある？

いかせる科目

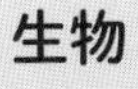

科目	いかせること
生物・物理・数学	人間の目や体のしくみと働き 検査機器のしくみ 屈折の度数などの計算
国語・ボランティア・クラブ活動	患者さんとのコミュニケーション 他職種との連携
英語	海外からの新しい情報 外国人の患者さんへの対応

生物、物理、数学などの科目は専門分野を学ぶ基礎になります

視能訓練士になるためには、人間の体や目のしくみと働きを理解することが必須です。こうした知識を習得するための基礎として、生物、物理、数学はしっかりと学んでおくとよいでしょう。もし、高校でこれらの科目を選択しなかった場合でも、視能訓練士養成校に入ってからの授業で学ぶことができます。

コミュニケーション力をアップするためには、国語の勉強、クラブ活動やボランティアの経験も役立ちます。

また、病名などには英語の表記が多く、英語の資料を読んで勉強したり、外国人の患者さんに対応したりする機会もあるので、英語も学んでおくことをおすすめします。

視能訓練士は…

- 視能訓練士の名称を用いて、医師の指示のもとに、両眼視機能に障害のある者に対するその**両眼視機能の回復のための矯正訓練およびこれに必要な検査**を行うことを業とする者
- 視能訓練士の名称を用いて、医師の指示のもとに、**眼科に係る検査（眼科検査）**を行うことを業とすることができる
- 診療の補助として**両眼視機能の回復のための矯正訓練**およびこれに必要な検査ならびに眼科検査を行うことを業とすることができる

（視能訓練士法より）

検査の指示を出すのは眼科医。看護師は診療の補助をします

視能訓練士と最もかかわりが深いのは医師です。視能訓練士は、医師の指示のもとに、矯正訓練や眼科検査を行います。

眼科の医師（眼科医）は、目の病気やケガの診断および治療、視力の矯正などを行います。日本の医師免許は、診療科ごとに分かれていないため、法律上は一つの免許ですべての診療科を診察することができますが、医師免許取得後に、眼科専門の研修を受けて眼科医となるのが一般的です。日本には眼科医は約1万5000人います。

病院の眼科などでは、看護師も働いています。看護師の仕事は、患者さんのケアや医師の診療の補助です。

看護師は…

- 傷病者（ケガや病気をしている人）やじょく婦（出産後の女性）に対する**療養上の世話**または**診療の補助**を行うことを業とする者（保健師助産師看護師法より）
- 診療の補助として、採血、注射、点滴、処置（傷や病気の手当て）などを行う
- 医師の指示のもとに、診療の補助として、矯正訓練や眼科検査を行うことも可能

眼科医は…

- 医師免許を取得後、さらに眼科専門の研修を受けて眼科医となる
- 目の病気やケガの診断や治療、手術などを行う
- 視能訓練士が行う矯正訓練や眼科検査は、眼科医も行うことができる
- 病院の眼科に勤務して働くことも、開業して自分の診療所で診療を行うこともある

視能訓練士は、専門性が必要な矯正訓練や眼科検査を担当

矯正訓練や眼科検査は、スペシャリストである視能訓練士がおもに担当します。ただ、これらの業務は診療の補助にあたるので、眼科で働く看護師が行うこともあります。専門知識をもつ視能訓練士が眼科医や看護師と連携し、患者さんに安心して診療を受けてもらえるようにすることがだいじです。

なお、視能訓練士は看護師とちがって、注射や採血などをすることはできません。手術の際にも、器具の手わたしや患者さんの目に水をかけるなどの直接介助は、看護師が担当します。一方、検査データの読み上げ、手術に使う眼鏡の準備といった間接介助は、視能訓練士も行います。

また、受付や会計、患者さんの案内などを行うスタッフが眼科助手として働いている場合がありますが、無資格の眼科助手には、眼科検査など診療の補助はできません。

? 視能訓練士って、どのくらいいるの？

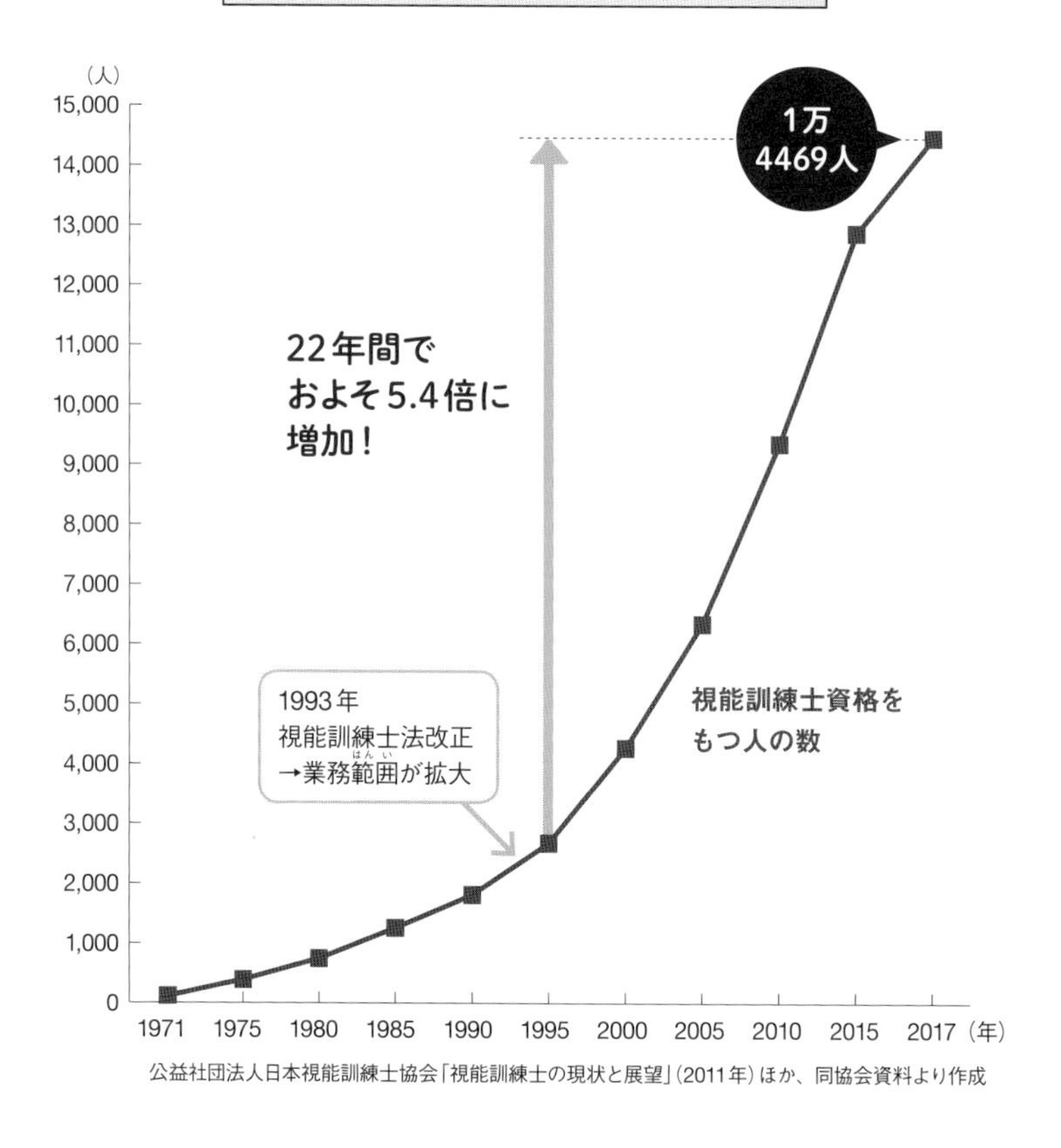

公益社団法人日本視能訓練士協会「視能訓練士の現状と展望」（2011年）ほか、同協会資料より作成

有資格者は約1万4500人。年々、増え続けています

日本で視能訓練士法が制定され、視能訓練士が国家資格となったのは1971年のことです。視能訓練士資格をもつ人の数は、わずか121人から、現在では1万4469人にまで増えました（2017年末時点）。最近では、毎年800人前後が国家試験に合格し、新たに視能訓練士となっています。

眼科医の数は全国に約1万5000人なので、人数の比率としては、眼科医1人に対して視能訓練士が1人に満たない程度です。しかし、理想としては眼科医1人に対して2～3人の視能訓練士がいることが望ましいとされており、視能訓練士の数はまだまだ足りていないのが現状です。

視能訓練士の男女別・年齢別割合

公益社団法人日本視能訓練士協会「視能訓練士実態調査報告書 2015年」より作成

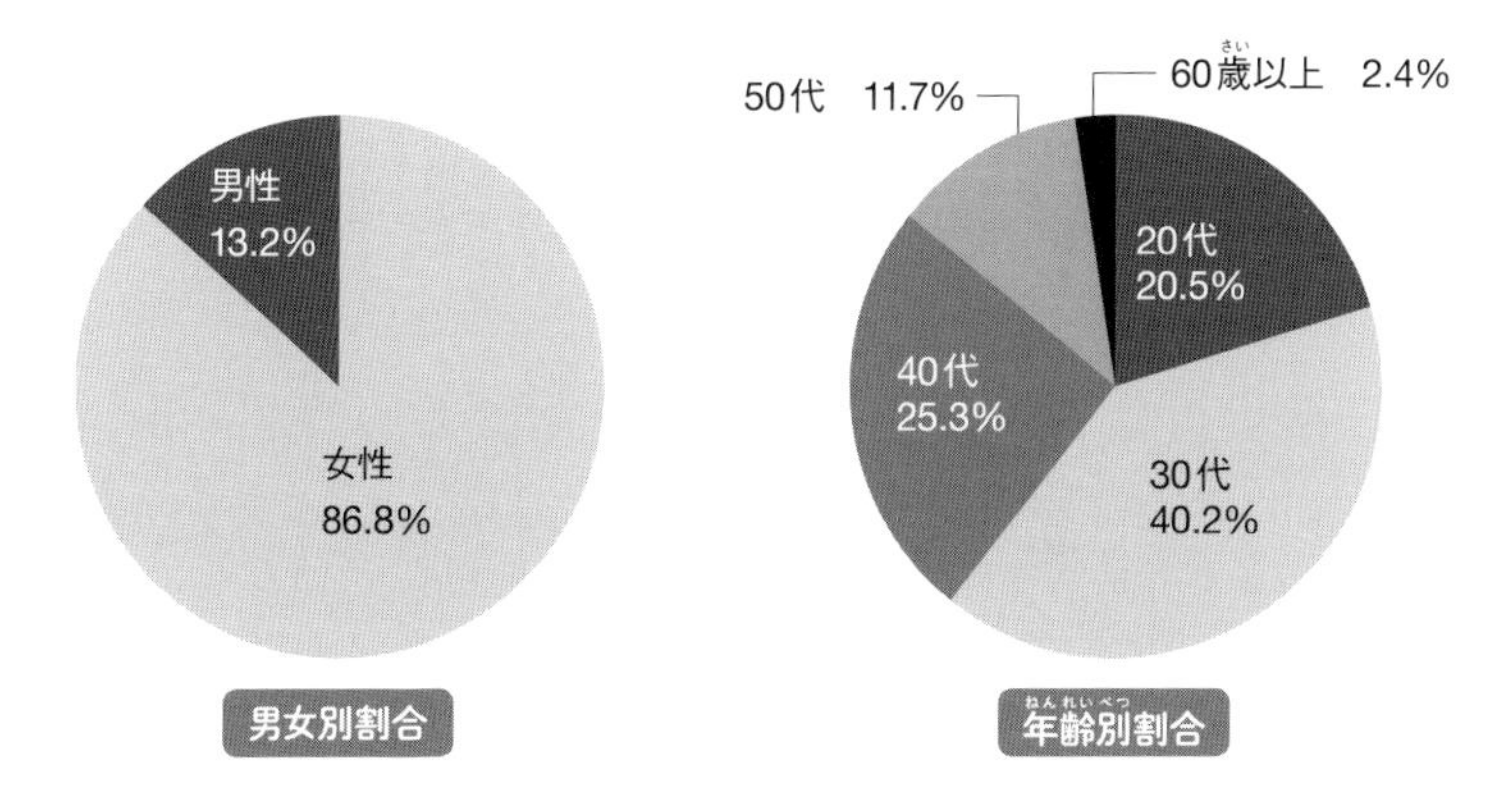

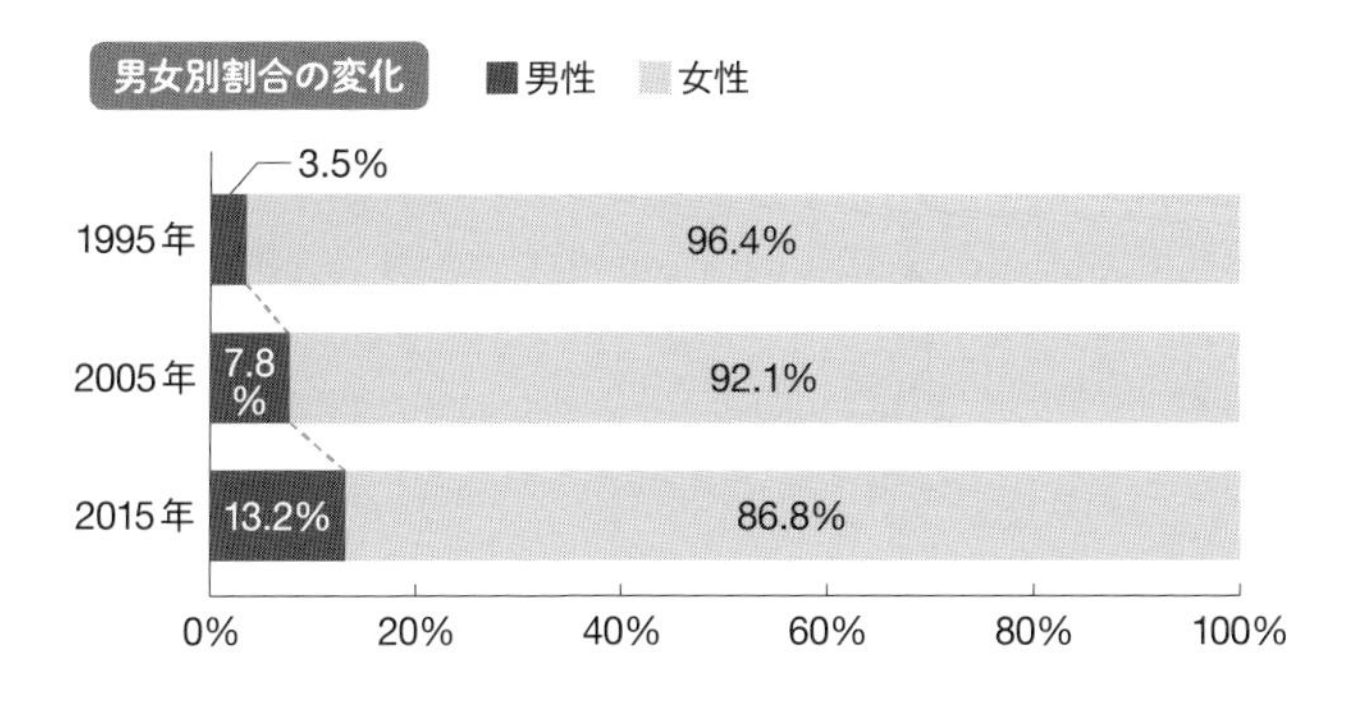

女性が圧倒的に多い職種ですが、男性の視能訓練士も増加中

資格ができた当時、視能訓練士の養成は女性のみを対象として行われていました。そのため、今でも視能訓練士は圧倒的に女性の割合が多くなっていますが、近年では視能訓練士養成校の多くが男女共学になり、男性の視能訓練士も年々増加しています。

また、視能訓練士法では当初、視能訓練士の業務を目の機能回復のための矯正訓練とそれに必要な検査と定めており、対象とするのはおもに子どもでした。その後、1993年に法律が改正され、業務範囲が拡大。現在のように眼科のさまざまな検査を視能訓練士が担当するようになったのです。患者さんの年齢も幅広くなっています。

視能訓練士の年齢別割合を見ると、20～40代が多いですが、50代以降で活躍している人も10%を超えています。経験をいかし、長く続けられる仕事といえるでしょう。

? 視能訓練士はどんなところで活躍(かつやく)しているの？

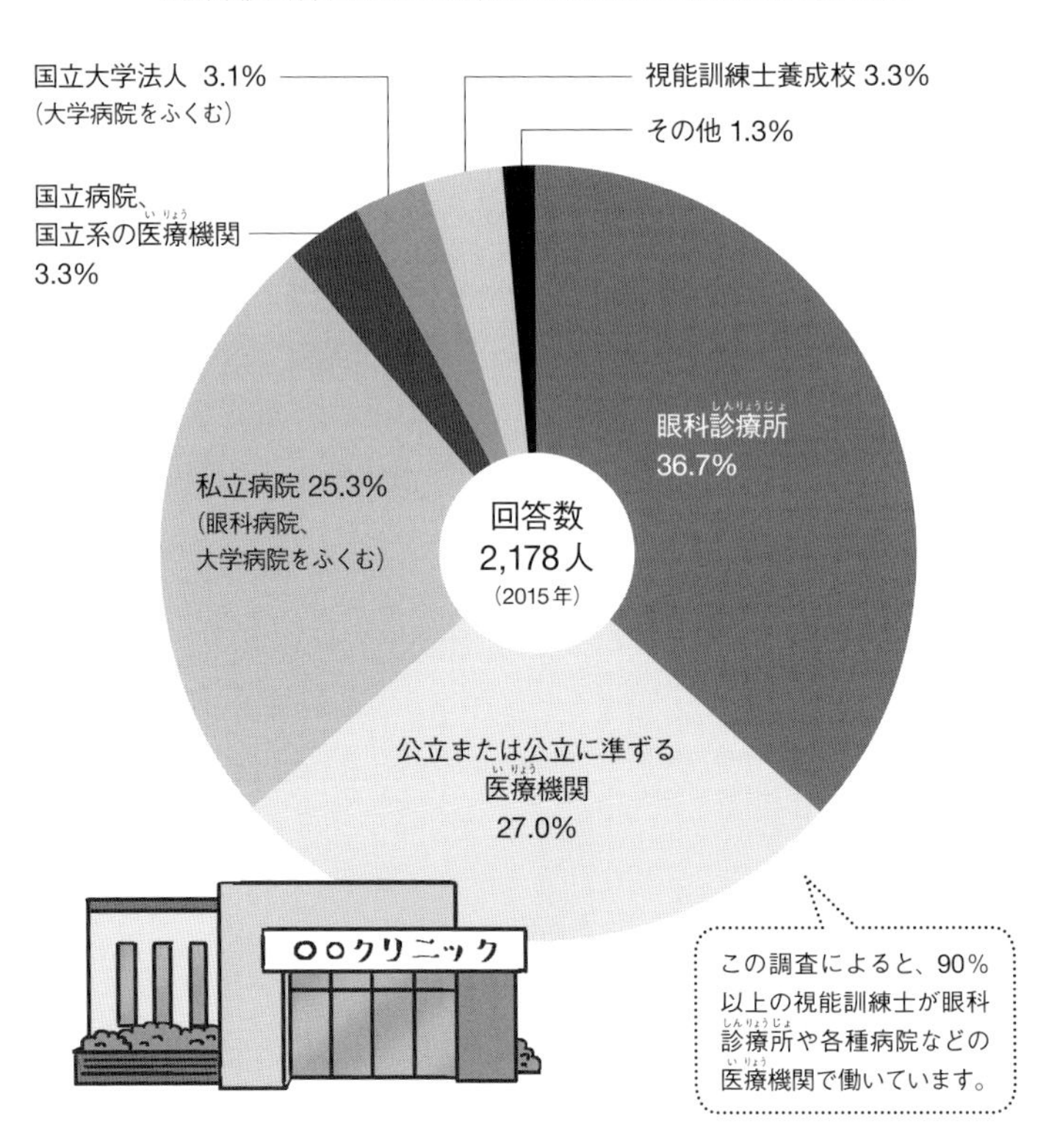

勤務先の90%以上が医療機関。最も多いのは眼科診療所

視能訓練士として働く人の勤務先の割合を見ると、90%以上を医療機関がしめています。なかでも最も多いのは眼科診療所で、36・7%です。眼科診療所とは、「○○眼科」などの看板をかかげている、眼科専門の診療所（クリニック）です。施設にもよりますが、業務は視力検査などの検査全般が中心です。

ほかに視能訓練士の勤務先として多いのは病院で、地域医療の拠点となる公立病院、専門性の高い医療を提供する国立病院や大学病院など、種類はさまざまです。

数は多くありませんが、視能訓練士養成校で教員を務める人や、眼鏡店やコンタクトレンズ関連会社などで働く人もいます。

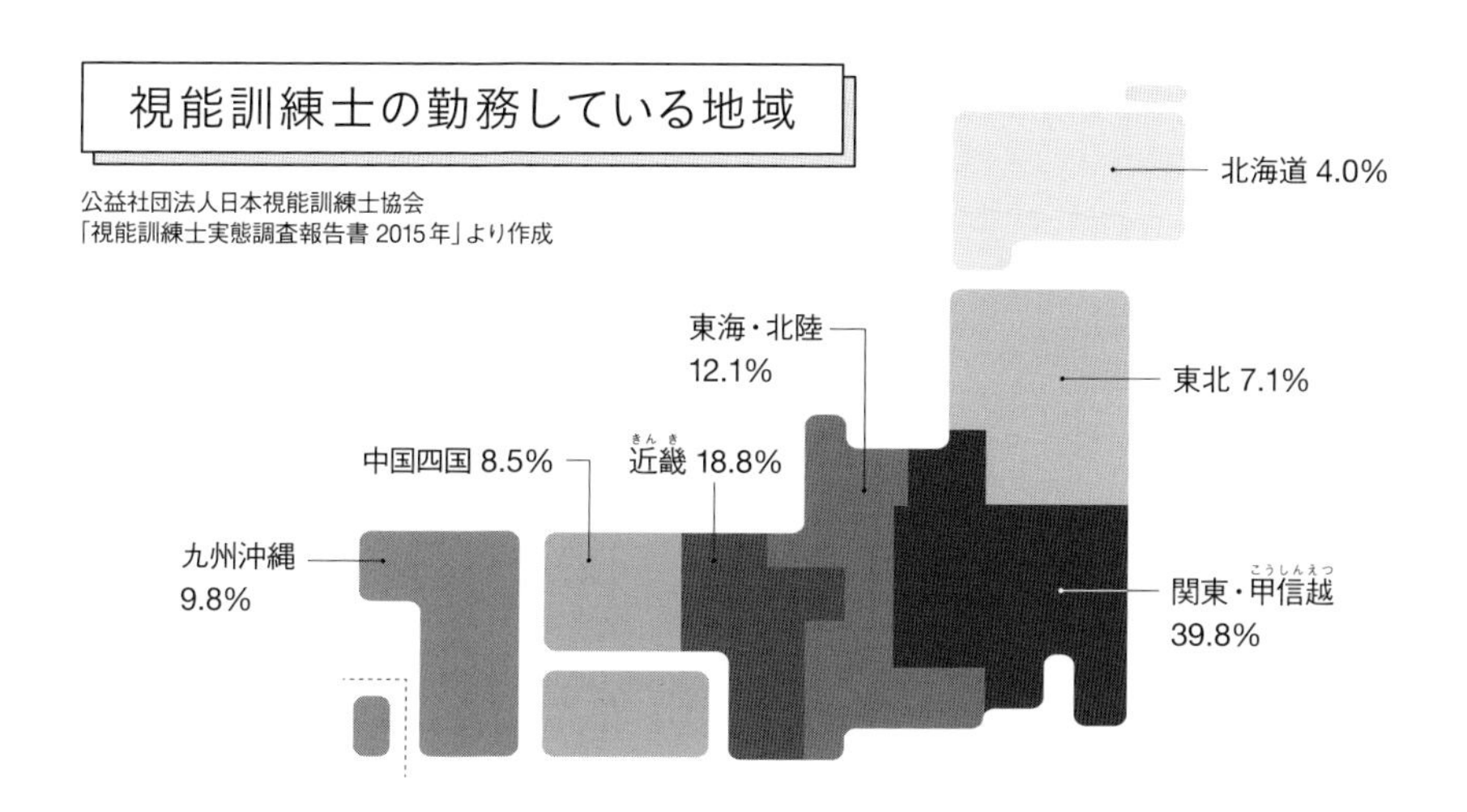

同じ職場で働く視能訓練士の数

公益社団法人日本視能訓練士協会
「視能訓練士実態調査報告書 2015年」より作成

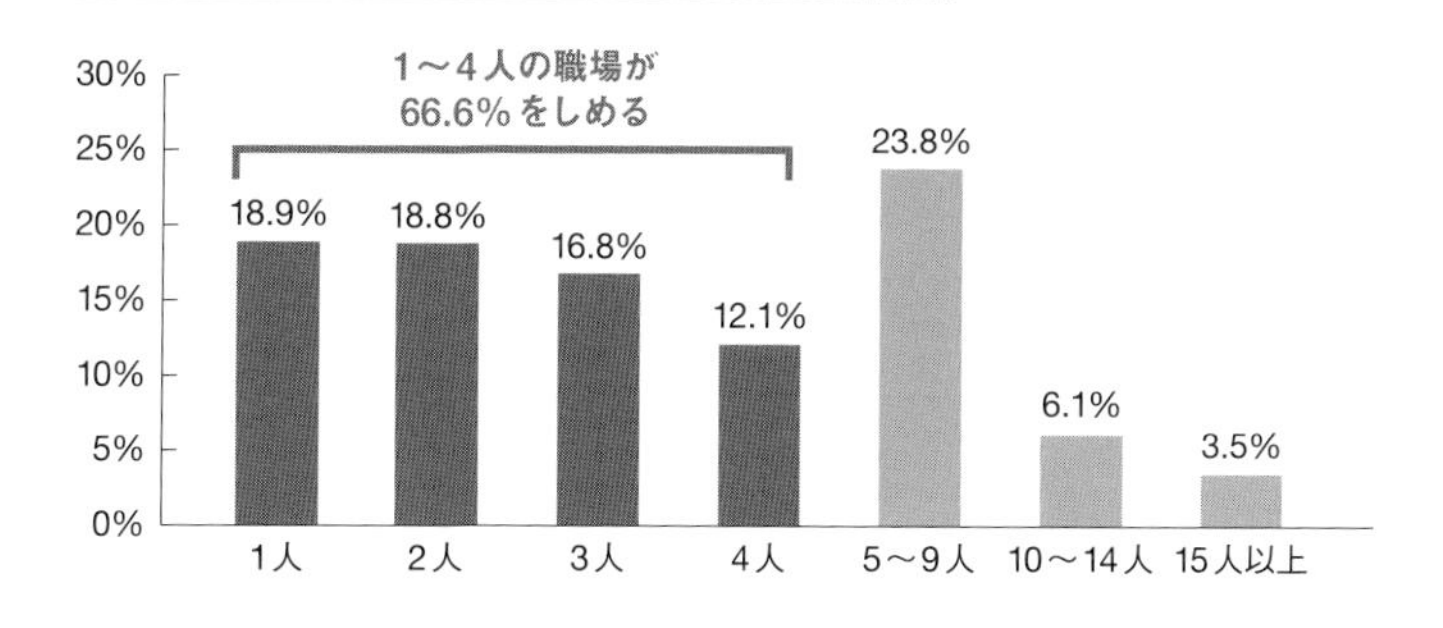

勤務地は関東や近畿が多い。少人数の職場がほとんど

視能訓練士の勤務している地域として最も多いのは関東・甲信越です。続いて、近畿、東海・北陸となっています。人口が多く、医療機関が多いところに勤務先が集中すると考えられます。

一つの職場に勤務する視能訓練士の数を見ると、60％以上が1～4人の少人数となっています。規模の小さな眼科診療所などに就職した場合、視能訓練士が1人か2人という場合も多いでしょう。ほかの医療職とコミュニケーションをとり、チームで仕事を進めることがだいじです。

勤務先に同じ職種の人がいない場合、業務上の疑問や課題は、勤務先の眼科医やほかの施設の視能訓練士に相談したり、自分で調べたりして解決することになります。学生時代の仲間や先輩、先生とのつながりが、就職してからも役に立つでしょう。

？視能訓練士はどうキャリアアップしていくの？

働き方やキャリアアップの例

眼科診療所や病院に就職

働きながら、業務に必要な知識と技術をみがきます。

専門分野の病院などに転職

経験をいかして、さらに専門的な業務に従事。

生涯教育制度などで知識を深める

仕事のかたわら、勉強会や研修会に参加したり、講習を受けたりして学びます。

結婚、出産、育児

出産休暇や育児休暇を利用する、勤務時間や働き方をかえるなどして働き続けることが可能です。

知識と技術をしっかり身につけ信頼される視能訓練士に

勤務先によって業務内容はさまざまですが、視能訓練士の数はまだ十分ではないので、ひととおりの業務を一人で正確に、すばやくこなせるようにしなければなりません。信頼される視能訓練士になるために、就職してから学ぶこともたくさんあります。なかには、仕事を何年か経験したあとに、改めて深く学びたいと大学院などに通う人もいます。

視能訓練士には基本的に夜勤や当直はなく、規則正しい生活ができます。パートタイムで働ける職場もあり、結婚や出産などによる生活の変化に合わせて、働き方をかえることも可能です。さまざまな形でキャリアを積んでいける仕事といえるでしょう。

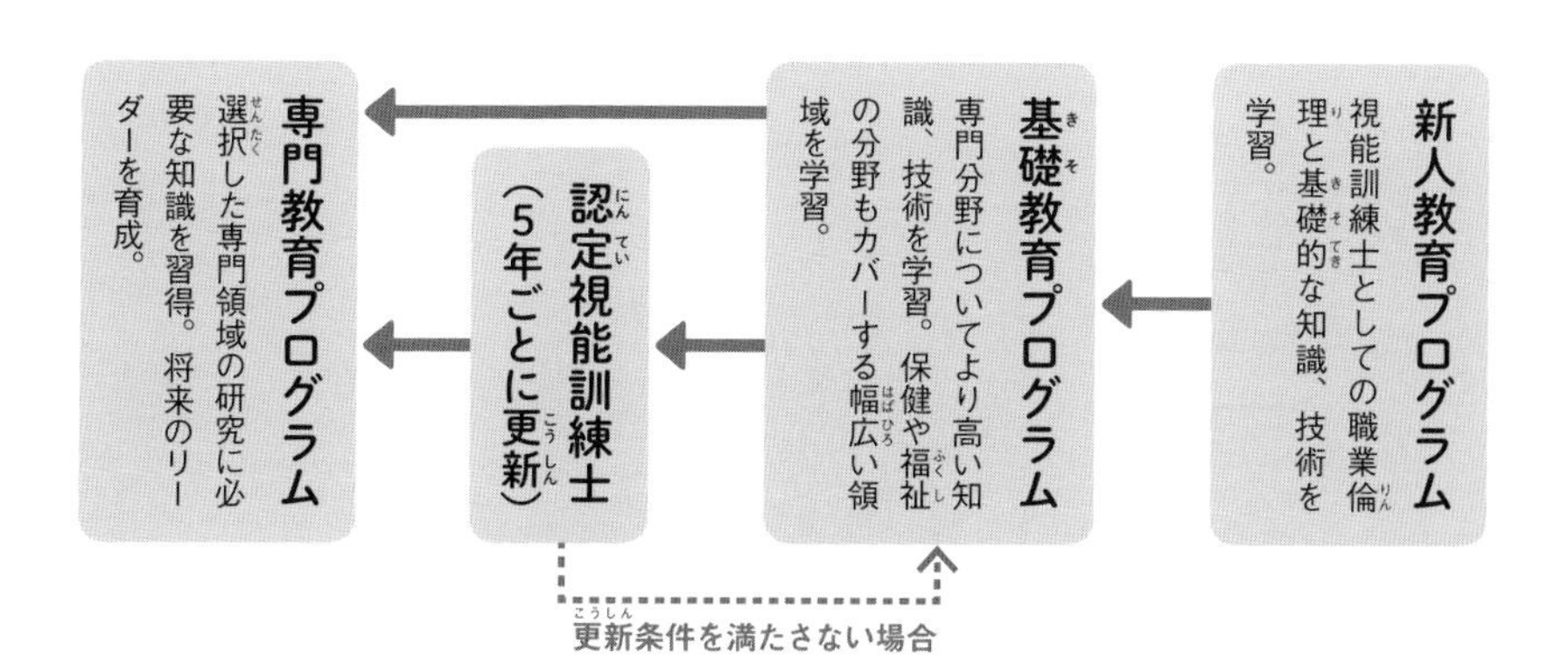

視能訓練士がもっているほかの資格

公益社団法人日本視能訓練士協会　「視能訓練士実態調査報告書 2015年」より作成

Q
視能訓練士以外の資格はありますか？

ある 21.4%
ない 78.6%

「ある」と答えた人がもっている資格

資格	割合
●教員	回答者全体の8.0%
●幼稚園教諭	〃 2.9%
●ケアマネジャー	〃 2.5%
●保育士	〃 2.5%
●看護師・保健師	〃 1.9%

ステップアップしたい人のための教育制度もあります

視能訓練士は国家資格なので、免許をとれば一生視能訓練士として働くことができます。けれども、日々進歩する検査機器や新たな治療法に対応するためには、自分から進んで勉強する姿勢が求められます。

全国の視能訓練士を会員とする日本視能訓練士協会では、資格取得後も学び続けて能力を高めていきたい人のために、生涯教育制度を設けています。新人教育、基礎教育のプログラムを一定期間内に修了した人は「認定視能訓練士」として認定されます。

視能訓練士になる前後に取得した資格（教員、ケアマネジャー、保育士など）をいかして、得意とする分野をしぼりこんでいくことも、キャリアアップの一つの方法です。また、十分に経験を積めば、視能訓練士養成校の教員や研究職など、患者さんと接する以外の仕事にも可能性が広がります。

収入はどのくらい？ 就職はしやすいの？

年収を比べてみると…

職種別平均収入

視能訓練士	¥¥¥¥ 300万～500万円
看護師	¥¥¥¥
医師	¥¥¥¥¥¥¥¥¥¥ ～
理学療法士 作業療法士 言語聴覚士	¥¥¥¥
薬剤師	¥¥¥¥¥
歯科衛生士	¥¥¥
歯科医師	¥¥¥¥¥¥¥
保育士	¥¥¥

女性の平均年収よりは高水準。勤務先や働き方によっても差が

日本視能訓練士協会の調査によると、視能訓練士の年収については３００万～５００万円未満という回答が多く、平均は３６６万円となっています。日本人全体の平均年収４２０万円よりは少ないですが、女性の平均年収２７６万円と比べれば高めといえます。

視能訓練士は正規職員として採用される割合が75％くらいで、非常勤職員や契約職員は約20％となっています。働き方で見ると、正規職員の平均収入は４０５万円、非正規職員は２１６万円と大きな差があります。

勤務先によってもちがいがあり、大学病院など規模の大きい施設のほうが給与が高い傾向があります。

就職のしやすさを比べてみると…

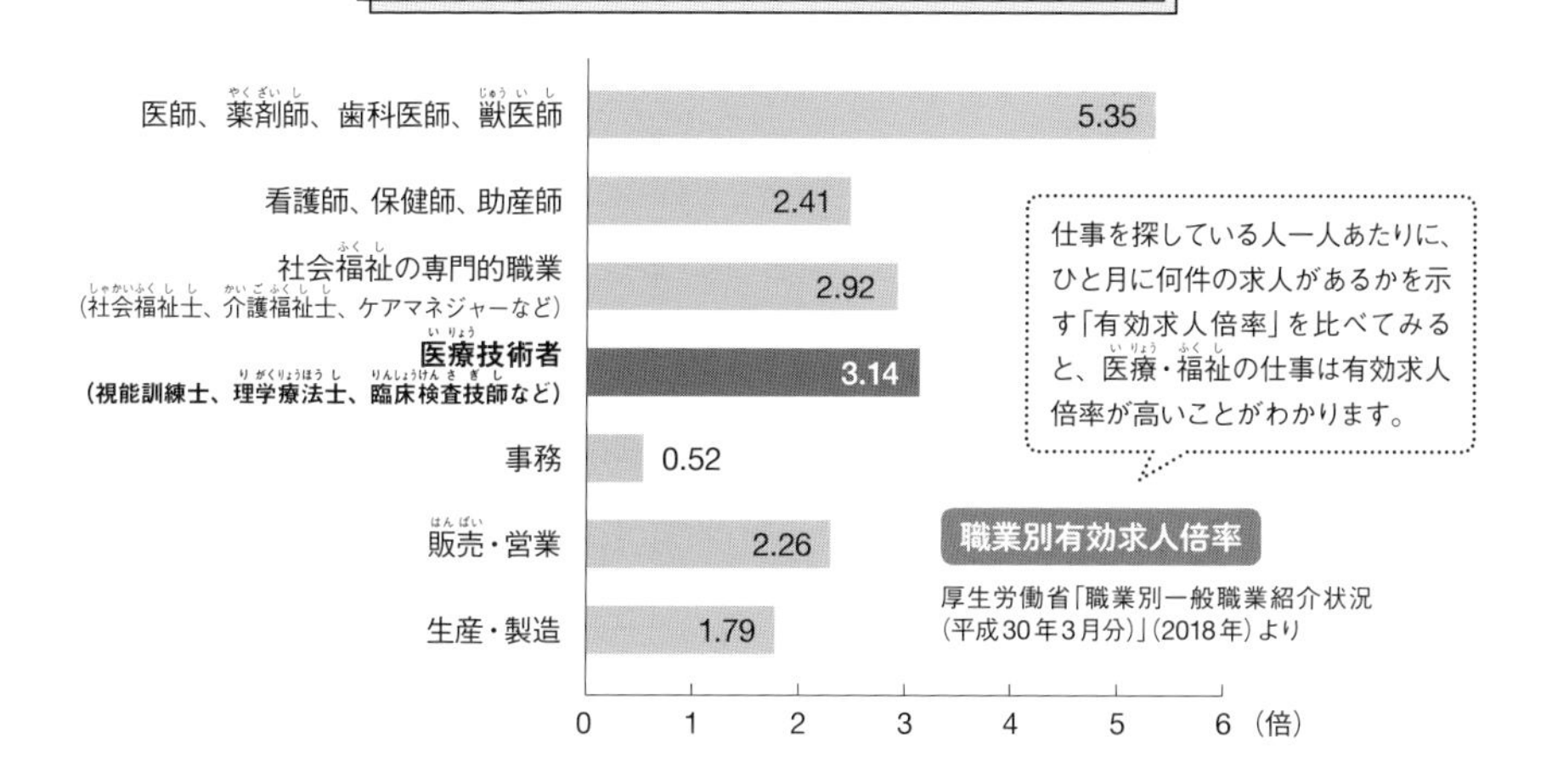

医療技術者の数を比べてみると…

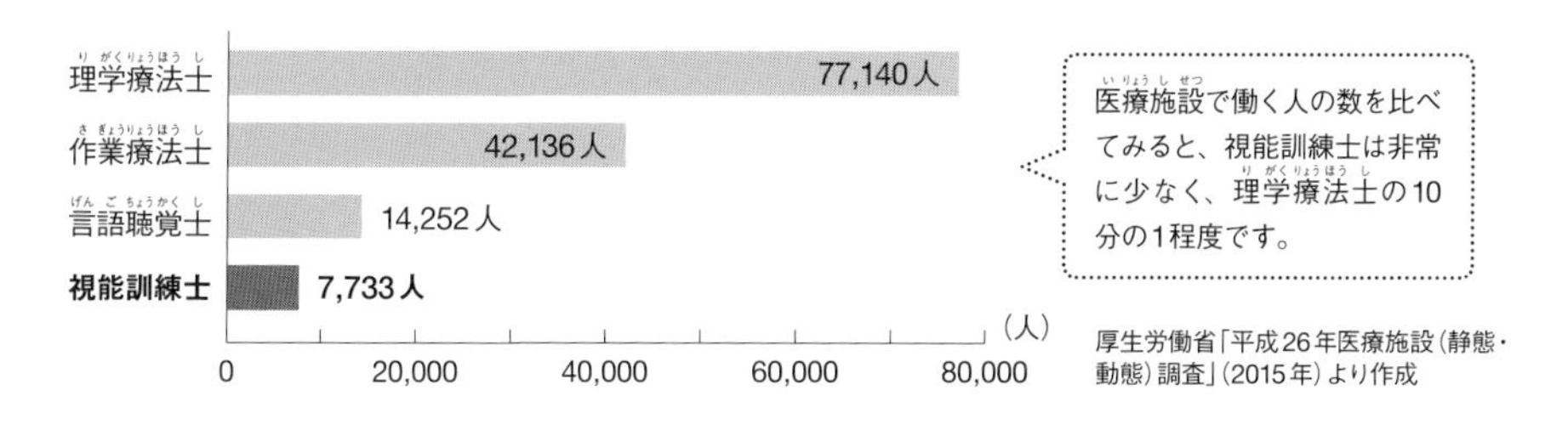

人数が不足しているため、これからも求められる職種です

視能訓練士をふくむ医療技術者の求人件数は、仕事を探している人一人あたり3件程度と、一般の職業よりも多くあります。

医療技術者のなかでも、視能訓練士は特に人数が不足しています。資格をもつ人は1万4500人にまで増えましたが、実際に医療施設で働く視能訓練士は、1万人に満たないのが現状です。今後、高齢化がますます進み、加齢によって視力がおとろえたり、目の病気になったりする人も増えると考えられます。視能訓練士は、これからも求められる職種といえるでしょう。

視能訓練士養成校を新規に卒業した学生の就職率は高く、95%を超えています。就職先は眼科診療所が最も多いですが、学校の種類別に見ると、大学を卒業した人は、専門学校を卒業した人よりも、病院に就職する人の割合がやや多い傾向があります。

? 視能訓練士の間で今、問題になっていることは？

予測される高齢者の割合の変化

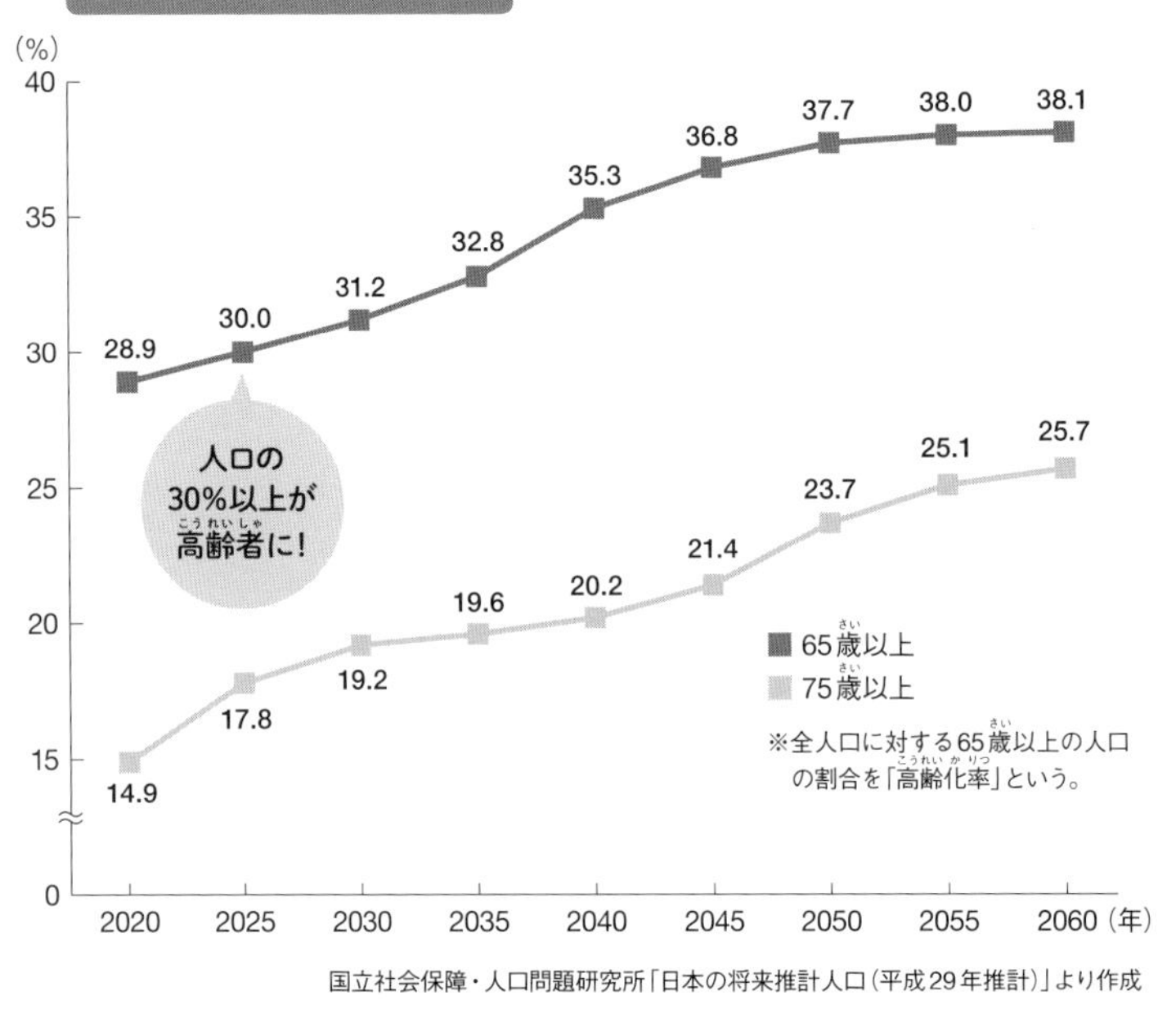

国立社会保障・人口問題研究所「日本の将来推計人口（平成29年推計）」より作成

**高齢化は今後ますます進むため、
長い人生を通して、よく見える状態を保てるよう
サポートすることが求められる！**

眼科医療においても、高齢者への支援のニーズが増加中

日本の医療は、「病気を治す」から「健康で長生きできるようにする」へと変化しつつあります。眼科医療には、長い人生を通して、できる限り快適な見え方を維持するためのサポートが求められているのです。

日本は今後、高齢者が急増していきます。人間は必要な情報のうち80％以上を視覚にたよっているといわれており、見え方が悪くなると高齢者の生活はとても不自由になってしまいます。高齢になってもよく見える状態を保てるよう、目の病気の早期発見のための健診や、視覚に障がいをもつ人へのロービジョンケアを通して、視能訓練士が役割を発揮することが求められています。

執筆協力：公益社団法人日本視能訓練士協会会長 南雲幹

？ これから10年後、どんなふうになる？

研究

iPS細胞を使った
再生医療などの
最先端技術を研究

医療

実際に医療を提供する
（検査、手術など）

リハビリテーション

スマートフォンや
タブレット端末を使った
ロービジョンケアなどを実施

再生医療には
リハビリテーションが不可欠
↓
ロービジョンケアにたずさわる
視能訓練士の役割が重要

医療技術はますます進歩。再生医療における役割も重要に

ここ数年、眼科では画像診断に最新の検査機器を使用することで、病気をよりくわしく調べられるようになっています。10年後には眼科医療分野でもＡＩ（人工知能）の活用が進み、さらに細かい治療の診断や、治療効果の判定が可能になってくることでしょう。

検査の進歩だけでなく、iPS細胞という細胞を使って、目の奥にある網膜を再生する研究も大きく進歩してきています。20年前には治らなかった病気も治るようになっていますが、網膜の再生医療はロービジョンケアとセットで完了する治療です。この分野でも今後、視能訓練士がますます重要な役割を果たしていくでしょう。

執筆協力：公益社団法人日本視能訓練士協会会長 南雲幹

？ 視能訓練士の職場体験って、できるの？

職場体験は動きやすいジャージなどに着がえて行うのが一般的。白衣やユニフォームを貸し出してくれる場合も。

職場体験でできること（例）

- 仕事について説明を聞く
- 施設内の見学
- 目のしくみについて教えてもらう
- 検査機器や検査の仕方を教えてもらう
- 検査のようすを見学
- 検査を実際に体験

検査を受ける体験だけでなく、友だちに患者さん役になってもらって検査を行う体験をさせてもらえることもあります。

視能訓練士のいる医療施設で職場体験を受け入れています

地域の診療所や病院は、中学生の職場体験を受け入れている場合が多いので、その施設で視能訓練士が働いていれば、仕事について話を聞いたり、仕事をしているようすを間近で見たりすることができます。実際に視能訓練士がどのように患者さんと接しているのかを確かめて、自分に向いているかどうか考えてみましょう。

規模の小さな眼科診療所などでは、勤務している視能訓練士が1人しかいないこともあるので、前もって予定を調整してもらう必要があります。視能訓練士の仕事に興味があるということを、学校を通して事前に伝えておきましょう。

養成校でのイベント

視能訓練士を目指して勉強している学生たちが、目のしくみや働きについて話を聞かせてくれたり、特殊な装置をつけて、視覚障がいのある人の見え方を体験させてくれたりします。

写真提供：国際医療福祉大学

目の愛護デー

数字の10を横にすると目とまゆ毛に見えることから、10月10日は「目の愛護デー」とされています。この日の前後には、各地で目の健康に関するイベントが開かれます。目の無料健康相談、視覚障がいがある人の見え方を体験するコーナーなど内容はさまざま。視能訓練士も活躍しているので、参加してみるとよいでしょう。

10 ➡ 10 10

10月
10日

養成校のオープンキャンパスで検査などの体験ができる場合も

全国の視能訓練士養成校では、視能訓練士の仕事を知ってもらおうと、さまざまな取り組みをしています。学校によっては、小中学生を対象に、目のしくみや見え方について学べるイベントを行っているところもあります。また、オープンキャンパスでは、学校の紹介のほかに、視能訓練士の仕事の紹介や、検査の体験コーナーを設けていることが多いようです。オープンキャンパスのおもな対象は、受験を希望する高校生ですが、中学生が参加できる場合もあるので、問い合わせてみましょう。

毎年10月には、「目の愛護デー」に合わせて、厚生労働省が主催となって目の健康に関する活動を進めています。全国で、眼科関連の企業や団体、地方自治体によるさまざまなイベントが開催されていて、視能訓練士も活躍しています。

索引

さ

●取材協力（掲載順・敬称略）
学校法人帝京大学 帝京大学医学部附属病院
医療法人熊谷総合病院 熊谷総合病院
医療法人社団済安堂 お茶の水・井上眼科クリニック
学校法人埼玉医科大学 埼玉医科大学総合医療センター
日本アルコン株式会社
学校法人国際医療福祉大学 国際医療福祉大学
公益社団法人 日本視能訓練士協会

編著／WILLこども知育研究所

幼児・児童向けの知育教材・書籍の企画・開発・編集を行う。2002年よりアフガニスタン難民の教育支援活動に参加、2011年3月11日の東日本大震災後は、被災保育所の支援活動を継続的に行っている。主な編著に『レインボーことば絵じてん』、『絵で見てわかる はじめての古典』全10巻、『せんそうって なんだったの？ 第2期』全12巻、『語りつぎお話絵本 3月11日』全8巻（いずれも学研）、『見たい 聞きたい 恥ずかしくない！ 性の本』全5巻、『ビジュアル食べもの大図鑑』、『やさしく わかる びょうきの えほん』全5巻、『ことばって、おもしろいな「ものの名まえ」絵じてん』全5巻（いずれも金の星社）など。

医療・福祉の仕事 見る知るシリーズ
視能訓練士の一日

2018年7月10日発行　第1版第1刷©

編　著　WILLこども知育研究所
発行者　長谷川 素美
発行所　株式会社保育社
〒532-0003
大阪市淀川区宮原3－4－30
ニッセイ新大阪ビル16F
TEL 06-6398-5151
FAX 06-6398-5157
https://www.hoikusha.co.jp/
企画制作　株式会社メディカ出版
TEL 06-6398-5048（編集）
https://www.medica.co.jp/
編集担当　中島亜衣
編集協力　株式会社ウィル
執筆協力　中島夕子／橋本明美／長尾康子
装　幀　大薮胤美（フレーズ）
写　真　田辺エリ
本文イラスト　エダりつこ
印刷・製本　図書印刷株式会社

ISBN978-4-586-08593-4　Printed and bound in Japan
乱丁・落丁がありましたら、お取り替えいたします。

○○病院
歯科医師
公認心理師
視能訓練士
医師
看護師
歯科衛生士
言語聴覚士
作業療法士
臨床検査技師
薬剤師
理学療法士
言語聴覚士
○○薬局
くすり
○○小学校
薬剤師
管理栄養士
義肢装具製作所
義肢装具士